Brasil,
coração
do mundo, pátria do
Evangelho

FRANCISCO CÂNDIDO XAVIER

Brasil, coração do mundo, pátria do Evangelho

Pelo Espírito
Humberto de Campos

FEB

Copyright © 1938 by
FEDERAÇÃO ESPÍRITA BRASILEIRA – FEB

34ª edição – 20ª impressão – 6 mil exemplares – 8/2024

ISBN 978-85-7328-796-7

Todos os direitos reservados. Nenhuma parte desta publicação pode ser reproduzida, armazenada ou transmitida, total ou parcialmente, por quaisquer métodos ou processos, sem autorização do detentor do *copyright*.

FEDERAÇÃO ESPÍRITA BRASILEIRA – FEB
SGAN 603 – Conjunto F – Avenida L2 Norte
70830-106 – Brasília (DF) – Brasil
www.febeditora.com.br
editorial@febnet.org.br
+55 61 2101 6161

MISTO
Papel | Apoiando o manejo florestal responsável
FSC
www.fsc.org
FSC® C112836

Pedidos de livros à FEB
Comercial
Tel.: (61) 2101 6161 – comercial@febnet.org.br

Adquirindo esta obra, você está colaborando com as ações de assistência e promoção social da FEB e com o Movimento Espírita na divulgação do Evangelho de Jesus à luz do Espiritismo.

Dados Internacionais de Catalogação na Publicação (CIP)
(Federação Espírita Brasileira – Biblioteca de Obras Raras)

C198b   Campos, Humberto de (Espírito)

           Brasil, coração do mundo, pátria do evangelho / pelo Espírito Humberto de Campos; [psicografado por] Francisco Cândido Xavier. – 34. ed. – 20. imp. – Brasília: FEB, 2024.

           208 p.; 21 cm – (Coleção Humberto de Campos / Irmão X)

           Inclui índice geral

           ISBN 978-85-7328-796-7

           1. Literatura espírita. 2. Obras psicografadas. I. Xavier, Francisco Cândido, 1910–2002. II. Federação Espírita Brasileira. III. Título. IV. Coleção.

                                            CDD 133.93
                                            CDU 133.7
                                            CDE 90.01.00

Sumário

Prefácio 7
Esclarecendo 9
1 O coração do mundo 13
2 A pátria do Evangelho 19
3 Os degredados 25
4 Os missionários 29
5 Os escravos 35
6 A civilização brasileira 41
7 Os negros do Brasil 47
8 A invasão holandesa 53
9 A restauração de Portugal 59
10 As Bandeiras 65
11 Os movimentos nativistas 71
12 No tempo dos vice-reis 77
13 Pombal e os jesuítas 83

14 A Inconfidência Mineira 89
15 A Revolução Francesa 95
16 D. João VI no Brasil 101
17 Primórdios da emancipação 107
18 No limiar da Independência 113
19 A Independência 117
20 D. Pedro II 123
21 Fim do Primeiro Reinado 129
22 Bezerra de Menezes 135
23 A obra de Ismael 141
24 A Regência e o Segundo Reinado 147
25 A Guerra do Paraguai 153
26 O movimento abolicionista 159
27 A República 165
28 A Federação Espírita Brasileira 171
29 O Espiritismo no Brasil 177
30 Pátria do Evangelho 183
Índice geral 187

Prefácio

Meus caros filhos. Venho falar-vos do trabalho em que agora colaborais com o nosso amigo desencarnado, no sentido de esclarecer as origens remotas da formação da Pátria do Evangelho, a que tantas vezes nos referimos em nossos diversos comunicados. O nosso irmão Humberto tem, nesse assunto, largo campo de trabalho a percorrer, com as suas facilidades de expressão e com o espírito de simpatia de que dispõe, como escritor, em face da mentalidade geral do Brasil.

Os dados que ele fornece nestas páginas foram recolhidos nas tradições do Mundo Espiritual, onde falanges desveladas e amigas se reúnem constantemente para os grandes sacrifícios em prol da Humanidade sofredora. Este trabalho se destina a explicar a missão da terra brasileira no mundo moderno. Humboldt,[1] visitando o vale extenso do Amazonas, exclamou, extasiado, que ali se encontrava o celeiro do mundo. O grande cientista asseverou uma grande verdade: precisamos, porém, desdobrá-la, estendendo-a do seu sentido econômico à sua significação espiritual. O Brasil não está somente destinado a suprir as necessidades materiais dos povos mais pobres do planeta, mas também a facultar ao mundo inteiro uma expressão consoladora de crença e de fé raciocinada e

---

[1] N.E.: Alexander von Humboldt (1769-1859), geógrafo, historiador, naturalista e explorador alemão.

a ser o maior celeiro de claridades espirituais do orbe inteiro. Nestes tempos de confusões amargas, consideramos de utilidade um trabalho desta natureza e, com a permissão dos nossos maiores dos planos elevados, empreendemos mais esta obra humilde, agradecendo a vossa desinteressada e espontânea colaboração. Nossa tarefa visa esclarecer o ambiente geral do país, argamassando as suas tradições de fraternidade com o cimento das verdades puras, porque, se a Grécia e a Roma da Antiguidade tiveram a sua hora, como elementos primordiais das origens de toda a civilização do Ocidente; se o império português e o espanhol se alastraram quase por todo o planeta; se a França, e a Inglaterra têm tido a sua hora proeminente nos tempos que assinalam as etapas evolutivas do mundo, o Brasil terá também o seu grande momento, no relógio que marca os dias da evolução da Humanidade.

Se outros povos atestaram o progresso, pelas expressões materializadas e transitórias, o Brasil terá a sua expressão imortal na vida do Espírito, representando a fonte de um pensamento novo, sem as ideologias de separatividade, e inundando todos os campos das atividades humanas com uma nova luz. Eis, em síntese, o porquê da nossa atuação nesse sentido. O nosso irmão encontra mais facilidade para vazar o seu pensamento em soledade[2] com o médium, como se ainda se encontrasse no seu escritório solitário; daí a razão pela qual as páginas em apreço foram produzidas de molde a se aproveitarem as oportunidades do momento. Peçamos a Deus que inspire os homens públicos, atualmente no leme da Pátria do Cruzeiro, e que, nesta hora amarga em que se verifica a inversão de quase todos os valores morais, no seio das oficinas humanas, saibam eles colocar muito alto a magnitude dos seus precípuos deveres. E a vós, meus filhos, que Deus vos fortaleça e abençoe, sustentando-vos nas lutas depuradoras da vida material.

Emmanuel

---

[2] N.E.: *Em soledade* significa *a sós*.

Esclarecendo

Todos os estudiosos que percorreram o Brasil, estudando alguns detalhes dos seus 8 milhões e meio de quilômetros quadrados, se apaixonaram pela riqueza das suas possibilidades infinitas. Eminentes geólogos definiram-lhe os tesouros do solo, e naturalistas ilustres lhe classificaram a fauna e a flora, maravilhados ante as suas prodigiosas surpresas. Nas paisagens suntuosas e inéditas, onde o calor suave dos trópicos alimenta e perfuma todas as coisas, há sempre um traço de beleza e de originalidade empolgando o espírito do viajor sedento de emoções.

Mas, se numerosos pensadores e artistas notáveis lhe traduziram a grandiosidade de mundo novo, contando "lá fora" as inesgotáveis reservas do gigante da América, todo esse espírito analítico não passou da esfera superficial das apreciações, porque não viram o Brasil espiritual, o Brasil evangélico, em cujas estradas, cheias de esperança, luta, sonha e trabalha o povo fraternal e generoso, cuja alma é a *flor amorosa de três raças tristes*, na expressão harmoniosa de um dos seus poetas mais eminentes.

As reservas brasileiras não se circunscrevem ao mundo de aço do progresso material, que impressionou fortemente o Espírito de Humboldt, mas se estendem, infinitamente, ao mundo de ouro dos corações, onde o país escreverá a sua epopeia de realizações morais, em favor do mundo.

Jesus transplantou da Palestina para a região do Cruzeiro a árvore magnânima do seu Evangelho, a fim de que os seus rebentos delicados florescessem de novo, frutificando em obras de amor para todas as criaturas. Ao ceticismo da época soará estranhamente uma afirmativa desta natureza. O Evangelho? Não seria mera ficção de pensadores do Cristianismo o repositório de suas lições? Não foi apenas um cântico de esperança do povo hebreu, que a Igreja Católica adaptou para garantir a coroa na cabeça dos príncipes terrestres? Não será uma palavra vazia, sem significação objetiva na atualidade do globo, quando todos os valores espirituais parecem descer ao *sepulcro caiado* da transição e da decadência? Mas a realidade é que, não obstante todas as surpresas das ideologias modernas, a lição do Cristo aí está no planeta, aguardando a compreensão geral do seu sentido profundo. Sobre ela, levantaram-se filosofias complicadas e as mais extravagantes teorias salvacionistas. Em seu favor, muitos milhares de livros foram editados e algumas guerras ensanguentaram o roteiro dos povos. Entretanto, a sublime exemplificação do divino Mestre, na sua expressão pura e simples, só pede a humildade e o amor da criatura, para ser devidamente compreendida. Do seu entendimento decorre aquele *Reino de Deus* em cada coração, de que falava o Senhor nas suas meigas pregações do Tiberíades — reino de amor fraternal, cuja luz é o único elemento capaz de salvar o mundo, que se encaminha para os desfiladeiros da destruição.

E os verdadeiros aprendizes, os crentes sinceros no poder e na misericórdia do Senhor, esperam, com os seus labores obscuros, o advento da cristianização da Humanidade, quando os homens, livres de todos os símbolos sectários de separatividade, puderem entender, integralmente, as maravilhas ocultas da obra cristã. Nas suas dolorosas provações dos tempos modernos, quando quase todos os valores morais sofrem o insulto da mais ampla subversão, esses espíritos heroicos e humildes sabem, na sua esperança e na sua crença, que, se Deus permite a prática de tantos absurdos, por parte dos poderosos da Terra, que se embriagam com o vinho da autoridade e da ambição, é porque todas essas lutas nada mais representam do que experiências penosas, por abreviar a compreensão geral das leis divinas no porvir. E, serenos na sua resignação e na sua sinceridade, reconhecem, ainda, que as lições do Evangelho não são símbolos mortos e aguardam, cheios de confiança no Mundo Espiritual, a alvorada luminosa do renascimento humano.

Nessa abençoada tarefa de espiritualização, o Brasil caminha na vanguarda. O material a empregar nesse serviço não vem das fontes de produção originariamente terrena, e sim do Plano Invisível, onde se elaboram todos os ascendentes construtores da Pátria do Evangelho.

Estas páginas modestas constituem, pois, uma contribuição humilde à elucidação da história da civilização brasileira em sua marcha através dos tempos. Têm por único objetivo provar a excelência da missão evangélica do Brasil no concerto dos povos e que, acima de tudo, todas as suas realizações e todos os seus feitos, forros dos miseráveis troféus das glórias sanguinolentas, tiveram suas origens profundas no Plano Espiritual, de onde Jesus, pelas mãos carinhosas de Ismael, acompanha desveladamente a evolução da pátria extraordinária, em cujos céus fulguram as estrelas da cruz. São elas, ainda, um grito de fé e de esperança aos que estacionam no meio do caminho. Ditadas pela voz de quem já atravessou as estradas poeirentas e tristes da morte, dirigem-se aos meus companheiros e irmãos da mesma comunidade e da mesma família, exclamando:

— Brasileiros, ensarilhemos,[3] para sempre, as armas homicidas das revoluções!... Consideremos o valor espiritual do nosso

---
[3] N.E.: *Ensarilhar* significa pôr à parte, depositar, deixar; acabar a guerra.

grande destino! Engrandeçamos a pátria no cumprimento do dever pela ordem, e traduzamos a nossa dedicação mediante o trabalho honesto pela sua grandeza! Consideremos, acima de tudo, que todas as suas realizações hão de merecer a luminosa sanção de Jesus, antes de se fixarem nos bastidores do poder transitório e precário dos homens! Nos dias de provação, como nas horas de venturas, estejamos irmanados numa doce aliança de fraternidade e paz indestrutível, dentro da qual deveremos esperar as claridades do futuro. Não nos compete estacionar, em nenhuma circunstância, e sim marchar, sempre, com a educação e com a fé realizadora, ao encontro do Brasil, na sua admirável espiritualidade e na sua grandeza imperecível!

Humberto de Campos[4]

---

[4] N.E.: Espírito.

~ 1 ~
O coração do mundo

O mundo político e social do Ocidente encontra-se exausto. Desde as pregações de Pedro, o Eremita,[5] até a morte do rei Luís IX,[6] diante de Túnis, acontecimento que colocara um dos derradeiros marcos nas guerras das Cruzadas, as sombras da idade medieval confundiram as lições do Evangelho, ensanguentando todas as bandeiras do mundo cristão.

Foi após essa época, no último quartel do século XIV, que o Senhor desejou realizar uma de suas visitas periódicas à Terra, a fim de observar os progressos de sua doutrina e de seus exemplos no coração dos homens.

Anjos e Tronos[7] lhe formavam a corte maravilhosa. Dos céus à Terra, foi colocado outro símbolo da escada infinita de Jacó,[8]

---

[5] N.E.: Pedro de Amiens (1050–1115), monge francês e um dos principais pregadores da Primeira Cruzada.
[6] N.E.: Luís IX ou São Luís (1214–1270), monarca francês.
[7] N.E.: Um dos nove coros de anjos, na hierarquia celeste.
[8] N.E.: Escada que interliga os céus e a Terra.

formado de flores e de estrelas cariciosas, por onde o Cordeiro de Deus transpôs as imensas distâncias, clarificando os caminhos cheios de treva. Mas, se Jesus vinha do coração luminoso das esferas superiores, trazendo nos olhos misericordiosos a visão dos seus impérios resplandecentes e na alma profunda o ritmo harmonioso dos astros, o planeta terreno lhe apresentava ainda aquelas mesmas veredas escuras, cheias da lama da impenitência e do orgulho das criaturas humanas, e repletas dos espinhos da ingratidão e do egoísmo. Embalde seus olhos compassivos procuraram o ninho doce do seu Evangelho; em vão procurou o Senhor os remanescentes da obra de um de seus últimos enviados à face do orbe terrestre. No coração da Úmbria haviam cessado os cânticos de amor e de fraternidade cristã. De Francisco de Assis só haviam ficado as tradições de carinho e de bondade; os pecados do mundo, como novos lobos de Gubbio,[9] haviam descido outra vez das selvas misteriosas das iniquidades humanas, roubando às criaturas a paz e aniquilando-lhes a vida.

— Helil[10] — disse a voz suave e meiga do Mestre a um dos seus mensageiros, encarregado dos problemas sociológicos da Terra —, meu coração se enche de profunda amargura, vendo a incompreensão dos homens, no que se refere às lições do meu Evangelho. Por toda parte é a luta fratricida, como polvo de infinitos tentáculos, a destruir todas as esperanças; recomendei-lhes que se amassem como irmãos, e vejo-os em movimentos impetuosos, aniquilando-se uns aos outros como cains desvairados.

— Todavia — replicou o emissário solícito, como se desejasse desfazer a impressão dolorosa e amarga do Mestre — esses movimentos, Senhor, intensificaram as relações dos povos da

---

[9] N.E.: Relaciona-se à lenda de Francisco de Assis, contada no final do século XIV, numa obra de autor desconhecido, intitulada *As pequenas flores de São Francisco*.

[10] N.E.: O autor preferiu a forma árabe – Helil هليل, em vez de Hilel, forma hebraica geralmente usada.

Terra, aproximando o Oriente e o Ocidente, para aprenderem a lição da solidariedade nessas experiências penosas; novas utilidades da vida foram descobertas; o comércio progrediu além de todas as fronteiras, reunindo as pátrias do orbe. Sobretudo, devemos considerar que os príncipes cristãos, empreendendo as iniciativas daquela natureza, guardavam a nobre intenção de velar pela paisagem deliciosa dos lugares santos.

— Mas — retornou tristemente a voz compassiva do Cordeiro — qual o lugar da Terra que não é santo? Em todas as partes do mundo, por mais recônditas que sejam, paira a bênção de Deus, convertida na luz e no pão de todas as criaturas. Era preferível que Saladino[11] guardasse, para sempre, todos os poderes temporais na Palestina, a que caísse um só dos fios de cabelo de um soldado, numa guerra incompreensível por minha causa, que, em todos os tempos, deve ser a do amor e da fraternidade universal.

E, como se a sua vista devassasse todos os mistérios do porvir, continuou:

— Infelizmente, não vejo senão o caminho do sofrimento para modificar tão desoladora situação. Aos feudos de agora, seguir-se-ão as coroas poderosas e, depois dessa concentração de autoridade e de poder, serão os embates da ambição e a carnificina da inveja e da felonia,[12] pelo predomínio do mais forte.

A amargura divina empolgara toda a formosa assembleia de querubins e arcanjos. Foi quando Helil, para renovar a impressão ambiente, dirigiu-se a Jesus com brandura e humildade:

— Senhor, se esses povos infelizes, que procuram na grandeza material uma felicidade impossível, marcham irremediavelmente para os grandes infortúnios coletivos, visitemos os continentes ignorados, onde espíritos jovens e simples aguardam a semente de uma vida nova. Nessas terras, para além dos

---

[11] N.E.: Salah ad-Din Yusuf ibn Ayyub (1138–1193), Sultão aiúbida do Egito e da Síria.

[12] N.E.: Ato desleal; traição.

grandes oceanos, poderíeis instalar o pensamento cristão, dentro das doutrinas do amor e da liberdade.

E a caravana fulgurante, deixando um rastro de luz na imensidade dos espaços, encaminhou-se ao continente que seria, mais tarde, o mundo americano.

O Senhor abençoou aquelas matas virgens e misteriosas. Enquanto as aves lhe homenageavam a inefável presença com seus cantares harmoniosos, as flores se inclinavam nas árvores ciclópicas,[13] aromatizando-lhe as eterizadas sendas. O perfume do mar casava-se ao oxigênio agreste da selva bravia, impregnando todas as coisas de um elemento de força desconhecida. No solo, eram os silvícolas humildes e simples, aguardando uma era nova, com o seu largo potencial de energia e bondade.

Cheio de esperanças, emociona-se o coração do Mestre, contemplando a beleza do sublimado espetáculo.

— Helil — pergunta Ele —, onde fica, nestas terras novas, o recanto planetário do qual se enxerga, no infinito, o símbolo da redenção humana?

— Esse lugar de doces encantos, Mestre, de onde se veem, no mundo, as homenagens dos céus aos vossos martírios na Terra, fica mais para o Sul.

E, quando no seio da paisagem repleta de aromas e de melodias, contemplavam as almas santificadas dos orbes felizes, na presença do Cordeiro, as maravilhas daquela terra nova, que seria mais tarde o Brasil, desenhou-se no firmamento, formado de estrelas rutilantes, no jardim das constelações de Deus, o mais imponente de todos os símbolos.

Mãos erguidas para o Alto, como se invocasse a bênção de seu Pai para todos os elementos daquele solo extraordinário e opulento, exclama então Jesus:

— Para esta terra maravilhosa e bendita será transplantada a árvore do meu Evangelho de piedade e de amor. No seu

---

[13] N.E.: De enormes dimensões.

Brasil, coração do mundo, pátria do Evangelho

solo dadivoso e fertilíssimo, todos os povos da Terra aprenderão a lei da fraternidade universal. Sob estes céus serão entoados os hosanas mais ternos à misericórdia do Pai celestial. Tu, Helil, te corporificarás na Terra, no seio do povo mais pobre e mais trabalhador do Ocidente; instituirás um roteiro de coragem, para que sejam transpostas as imensidades desses oceanos perigosos e solitários, que separam o Velho do Novo Mundo. Instalaremos aqui uma tenda de trabalho para a nação mais humilde da Europa, glorificando os seus esforços na oficina de Deus. Aproveitaremos o elemento simples de bondade, o coração fraternal dos habitantes destas terras novas, e, mais tarde, ordenarei a reencarnação de muitos Espíritos já purificados no sentimento da humildade e da mansidão, entre as raças oprimidas e sofredoras das regiões africanas, para formarmos o pedestal de solidariedade do povo fraterno que aqui florescerá, no futuro, a fim de exaltar o meu Evangelho, nos séculos gloriosos do porvir. Aqui, Helil, sob a luz misericordiosa das estrelas da cruz, ficará localizado o coração do mundo!

Consoante a vontade piedosa do Senhor, todas as suas ordens foram cumpridas integralmente.

Daí a alguns anos, o seu mensageiro se estabelecia na Terra, em 1394, como filho de D. João I[14] e de D. Filipa de Lencastre,[15] e foi o heroico Infante de Sagres,[16] que operou a renovação das energias portuguesas, expandindo as suas possibilidades realizadoras para além dos mares. O elemento indígena foi chamado a colaborar na edificação da pátria nova; almas bem-aventuradas

---

[14] N.E.: Dom João I (1357–1437), décimo rei de Portugal e o primeiro da dinastia de Avis.

[15] N.E.: Filipa de Lencastre (1359–1415), princesa inglesa da Casa de Lencastre, tornou-se rainha de Portugal por meio do casamento com o rei D. João I.

[16] N.E.: Dom Henrique de Avis (1394–1460), infante português e a mais importante figura do início da era das descobertas, popularmente conhecido como *Infante de Sagres* ou *O Navegador*.

pelas suas renúncias se corporificaram nas costas da África flagelada e oprimida e, juntas a outros Espíritos em prova, formaram a falange abnegada que veio escrever na Terra de Santa Cruz, com os seus sacrifícios e com os seus sofrimentos, um dos mais belos poemas da raça negra em favor da Humanidade.

Foi por isso que o Brasil, onde confraternizam hoje todos os povos da Terra e onde será modelada a obra imortal do Evangelho do Cristo, muito antes do Tratado de Tordesilhas,[17] que fincou as balizas das possessões espanholas, trazia já, em seus contornos, a forma geográfica do coração do mundo.

---

[17] N.E.: Acordo assinado entre Espanha e Portugal em Tordesilhas (Velha Castela), em 7/6/1494, que fixou, em 370 léguas a oeste das ilhas de Cabo Verde, a linha de demarcação que separava as possessões coloniais dos dois países.

~ 2 ~
A pátria do Evangelho

D. Henrique de Sagres abandonou as suas atividades na Terra em 1460. Estava realizado, em linhas gerais, o seu grande destino. Da sua casa modesta da Vila Nova do Infante, onde se encontra ainda hoje uma placa comemorativa, como perene homenagem ao grande navegador, desenvolvera ele, no mundo inteiro, um sentimento novo de amor ao desconhecido. Desde a expedição de Ceuta,[18] o Infante deixou transparecer, em vários documentos que se perderam nos arquivos da Casa de Avis, que tinha a certeza da existência das terras maravilhosas, cuja beleza haviam contemplado os seus olhos espirituais, no passado longínquo. Toda a sua existência de abnegação e ascetismo constituíra uma série de relâmpagos luminosos no mundo de suas recordações. A prova de que os seus estudos particulares falavam da terra desconhecida é que o mapa de André Bianco,[19] datado de 1448, mencionava uma região fronteira

---
[18] N.E.: Cidade islâmica no norte da África.
[19] N.E.: Cartógrafo veneziano (século XIV).

à África. Para os navegadores portugueses, portanto, a existência da grande ilha austral já não era assunto ignorado.

Novamente no Além, o antigo mensageiro do Mestre não descansou, chamando a colaborar com ele numerosas falanges de trabalhadores devotados à causa do Evangelho do Senhor. Procura influenciar sobre o curto reinado de D. Duarte,[20] estendendo, com os seus cooperadores, essa mesma atuação ao tempo de D. Afonso V,[21] sem lograr uma ação decisiva a favor das empresas esperadas. Aproveitando o sonho geral dos tesouros das Índias, a personalidade do Infante se desdobra, com o objetivo de descortinar o continente novo ao mundo político do Ocidente. Enquanto a sua atuação encontra fraco eco junto às administrações de sua terra, o povo de Castela começa a preocupar-se seriamente com as ideias novas, lançando-se à disputa das riquezas entrevistas. Eleva-se então ao poder D. João II,[22] cujo reinado se caracterizou pela previdência e pela energia realizadora. Junto do seu coração, o emissário invisível encontra grandes aspirações, irmãs das suas. O príncipe perfeito torna-se o dócil instrumento do mensageiro abnegado. A mesma sede de além lhe devora o pensamento. Expedições diversas se organizam. O castelo de São Jorge é fundado por Diogo de Azambuja,[23] na Costa da Mina; Diogo Cão[24] descobre toda a costa de Angola; por toda parte, sob o olhar protetor do grande rei, aventuram-se os expedicionários. Mas o Espírito, em todos os planos e circunstâncias da vida, tem de sustentar as maiores lutas pela sua purificação suprema. Entidades atrasadas na sua carreira evolutiva se unem contra as realizações do príncipe

---

[20] N.E.: Décimo primeiro rei de Portugal (1391–1438).
[21] N.E.: Décimo segundo rei de Portugal (1432–1481).
[22] N.E.: Décimo terceiro rei de Portugal (1455–1495), que negociou, com os chamados Reis Católicos, o Tratado de Tordesilhas (1494).
[23] N.E.: Fidalgo português (1432–1518).
[24] N.E.: Navegador português (1440–1486).

ilustre. Depois do desastre no Campo de Santarém, no qual o filho perde a vida em condições trágicas, surgem outras complicações entre a sua direção justiceira e os nobres da época, e D. João II morre envenenado em Alvor, no ano de 1495.

Todavia, os planos da Escola de Sagres estavam consolidados. Com a ascensão de D. Manuel I[25] ao poder, nada mais se fez que atingir o fim de longa e laboriosa preparação. Em 1498, Vasco da Gama[26] descobre o caminho marítimo das Índias e, um pouco mais tarde, Gaspar Corte-Real[27] descobre o Canadá.

Todos os navegadores saem de Lisboa com instruções secretas quanto à terra desconhecida, que se localizava fronteira à África e que já havia sido objeto de protesto de D. João II contra a bula de Alexandre VI,[28] que pretendia impor-lhe restrições ao longo do Atlântico, por sugestão dos reis católicos da Espanha.

No dia 7 de março de 1500, preparada a grande expedição de Cabral[29] ao novo roteiro das Índias, todos os elementos da expedição, encabeçados pelo capitão-mor, visitaram o Paço da Alcáçova,[30] e na véspera do dia 9, dia este em que se fizeram ao mar, imploraram os navegadores a bênção de Deus, na ermida[31] do Restelo, pouso de meditação que a fé sincera de D. Henrique havia edificado. O Tejo[32] estava coberto de embarca-

---

[25] N.E.: Décimo quarto rei de Portugal; conhecido como o Grande e o Venturoso (1469–1521).

[26] N.E.: Navegador e explorador português (1469–1524).

[27] N.E.: Navegador português (1450–1501).

[28] N.E.: Rodrigo Bórgia (1431–1503), 214º papa da Igreja Católica.

[29] N.E.: Pedro Álvares Cabral (1467–1520), fidalgo, comandante militar, navegador e explorador português, creditado como o descobridor do Brasil.

[30] N.E.: Residência da família real portuguesa.

[31] N.E.: Pequena igreja ou capela em lugar ermo ou fora de uma povoação.

[32] N.E.: O maior rio da Península Ibérica, nasce na Espanha e desemboca no Atlântico, em Portugal.

ções engalanadas e, entre manifestações de alegria e de esperança, exaltava-se o pendão glorioso das quinas.

No oceano largo, o capitão-mor considera a possibilidade de levar a sua bandeira à terra desconhecida do hemisfério Sul. O seu desejo cria a necessária ambientação ao grande plano do Mundo Invisível. Henrique de Sagres aproveita esta maravilhosa possibilidade. Suas falanges de navegadores do Infinito se desdobram nas caravelas embandeiradas e alegres. Aproveitam-se todos os ascendentes mediúnicos. As noites de Cabral são povoadas de sonhos sobrenaturais e, insensivelmente, as caravelas inquietas cedem ao impulso de uma orientação imperceptível. Os caminhos das Índias são abandonados. Em todos os corações há uma angustiosa expectativa. O pavor do desconhecido empolga a alma daqueles homens rudes, que se viam perdidos entre o céu e o mar, nas imensidades do Infinito. Mas a assistência espiritual do mensageiro invisível, que, de fato, era ali o divino expedicionário, derrama um claror de esperança em todos os ânimos. As primeiras mensagens da terra próxima recebem-nas com alegria indizível. As ondas se mostram agora, amiúde, qual colcha caprichosa de folhas, de flores e de perfumes. Avistam-se os píncaros elegantes da plaga do Cruzeiro e, em breves horas, Cabral e sua gente se reconfortam na praia extensa e acolhedora. Os naturais os recebem como irmãos muito amados. A palavra religiosa de Henrique Soares,[33] de Coimbra, eles a ouvem com veneração e humildade. Colocam suas habitações rústicas e primitivas à disposição do estrangeiro e reza a crônica de Caminha que, Diogo Dias[34] dançou com eles nas areias de Porto Seguro, celebrando na praia o primeiro banquete de fraternidade na Terra de Vera Cruz.

---

[33] N.E.: Dom Frei Henrique Soares de Coimbra (1465–1532), frade e bispo português; no Brasil, é conhecido por ter celebrado a primeira missa na terra recém-descoberta, em 26 de Abril de 1500.

[34] N.E.: Navegador, feitor e escrivão português do século XV.

Brasil, coração do mundo, pátria do Evangelho

A bandeira das quinas desfralda-se então gloriosamente nas plagas da terra abençoada, para onde transplantara Jesus a árvore do seu amor e da sua piedade, e, no Céu, celebra-se o acontecimento com grande júbilo. Assembleias espirituais, sob as vistas amorosas do Senhor, abençoam as praias extensas e claras e as florestas cerradas e bravias. Há um contentamento intraduzível em todos os corações, como se um pombo simbólico trouxesse as novidades de um mundo mais firme, após novo dilúvio.

Henrique de Sagres, o antigo mensageiro do Divino Mestre, rejubila-se com as bênçãos recebidas do Céu. Mas, de alma alarmada pelas emoções mais carinhosas e mais doces, confia ao Senhor as suas vacilações e os seus receios:

— Mestre — diz ele —, graças ao vosso coração misericordioso, a Terra do Evangelho florescerá agora para o mundo inteiro. Dai-nos a vossa bênção para que possamos velar pela sua tranquilidade, no seio da pirataria de todos os séculos. Temo, Senhor, que as nações ambiciosas matem as nossas esperanças, invalidando as suas possibilidades e destruindo os seus tesouros.

Jesus, porém, confiante, por sua vez, na proteção de seu Pai, não hesita em dizer com a certeza e a alegria que traz em si:

— Helil, afasta essas preocupações e receios inúteis. A região do Cruzeiro, onde se realizará a epopeia do meu Evangelho, estará, antes de tudo, ligada eternamente ao meu coração. As injunções políticas terão nela atividades secundárias, porque, acima de todas as coisas, em seu solo santificado e exuberante estará o sinal da fraternidade universal, unindo todos os Espíritos. Sobre a sua volumosa extensão pairará constantemente o signo da minha assistência compassiva e a mão prestigiosa e potentíssima de Deus pousará sobre a terra de minha cruz, com infinita Misericórdia. As potências imperialistas da Terra esbarrarão sempre nas suas claridades divinas e nas suas ciclópicas realizações. Antes de o estar ao dos homens, é ao meu coração que ela se encontra ligada para sempre.

Nos céus imensos, havia clarões estranhos de uma bênção divina. No seu sólio de estrelas e de flores, o Supremo Senhor sancionara, por certo, as bondosas promessas de seu Filho. E foi assim que o minúsculo Portugal, ao longo de três longos séculos, embora preocupado com as fabulosas riquezas das Índias, pôde conservar, contra flamengos e ingleses, franceses e espanhóis, a unidade territorial de uma pátria com 8 milhões e meio de quilômetros quadrados e com 8 mil quilômetros de costa marítima. Nunca houve exemplo como esse em toda a História do mundo. As possessões espanholas se fragmentaram, formando cerca de 20 repúblicas diversas. Os estados americanos do norte devem sua posição territorial às anexações e às lutas de conquista. A Louisiana, o Novo México, o Alasca, a Califórnia, o Texas, o Oregon surgiram depois da emancipação das colônias inglesas. Só o Brasil conseguiu manter-se uno e indivisível na América, entre os embates políticos de todos os tempos. É que a mão do Senhor se alça sobre a sua longa extensão e sobre as suas prodigiosas riquezas. O coração geográfico do orbe não se podia fracionar.

~ 3 ~
Os degredados

Todos os Espíritos edificados nas lições sublimes do Senhor se reuniram, logo após o descobrimento da nova terra, celebrando o acontecimento nos espaços do Infinito. Grandes multidões donairosas e aéreas formavam imensos hifens de luz, entre a Terra e o Céu. Uma torrente impetuosa de perfumes se elevava da paisagem verde e florida, em busca do firmamento, de onde voltava à superfície do solo, saturada de energias divinas. Nos ninhos quentes das árvores, pousavam as vibrações renovadoras das esperanças santificantes, e, no Além, ouviam-se as melodias evocadoras da Galileia, fecunda e agreste antes das lutas arrasadoras das Cruzadas, que lhe devastaram todos os campos, transformando-a num montão de ruínas. Afigurava-se que a região dos pescadores humildes, que conheceu, bastante assinalados, os passos do Divino Mestre, se havia transplantado igualmente para o continente novo, dilatada em seus suaves contornos.

Uma alegria paradisíaca reinava em todas as almas que comemoravam o advento da Pátria do Evangelho, quando se fez presente, na assembleia augusta, a figura misericordiosa do Cordeiro.

Complacente sorriso lhe bailava nos lábios angélicos e suas mãos liriais empunhavam largo estandarte branco, como se um fragmento de sua alma radiosa estivesse ali dentro, transubstanciado naquela bandeira de luz, que era o mais encantador dos símbolos de perdão e de concórdia.

Dirigindo-se a um dos seus elevados mensageiros na face do orbe terrestre, em meio do divino silêncio da multidão espiritual, sua voz ressoou com doçura:

— Ismael, manda o meu coração que doravante sejas o zelador dos patrimônios imortais que constituem a Terra do Cruzeiro. Recebe-a nos teus braços de trabalhador devotado da minha seara, como a recebi no coração, obedecendo a sagradas inspirações do nosso Pai. Reúne as incansáveis falanges do Infinito, que cooperam nos ideais sacrossantos de minha doutrina, e inicia, desde já, a construção da pátria do meu ensinamento. Para aí transplantei a árvore da minha misericórdia e espero que a cultives com a tua abnegação e com o teu sublimado heroísmo. Ela será a doce paisagem dilatada do Tiberíades, que os homens aniquilaram na sua voracidade de carnificina. Guarda este símbolo da paz e inscreve na sua imaculada pureza o lema da tua coragem e do teu propósito de bem servir à causa de Deus e, sobretudo, lembra-te sempre de que estarei contigo no cumprimento dos teus deveres, com os quais abrirás para a Humanidade dos séculos futuros um caminho novo, mediante a sagrada revivescência do Cristianismo.

Ismael recebe o lábaro bendito das mãos compassivas do Senhor, banhado em lágrimas de reconhecimento, e, como se entrara em ação o impulso secreto da sua vontade, eis que a nívea bandeira tem agora uma insígnia. Na sua branca substância, uma tinta celeste inscrevera o lema imortal: "Deus, Cristo e Caridade". Todas as almas ali reunidas entoam um hosana melodioso e intraduzível à sabedoria do Senhor do Universo. São vibrações gloriosas da espiritualidade, que se elevam pelos espaços ilimitados, louvando o Artista Inimitável e o Matemático Supremo de todos os sóis e de todos os mundos.

O emissário de Jesus desce então à Terra, onde estabelecerá a sua oficina. Os exércitos dos seres redimidos e luminosos lhe seguem a esplêndida trajetória e, como se o chão do Brasil fosse a superfície de um novo Hélicon da imortalidade, a Natureza, macia e cariciosa, toda se enfeita de luzes e sombras, de sinfonias e de ramagens odoríferas, preparando-se para um banquete de deuses.

Os caminhos agrestes tornam-se sendas de maravilhosa beleza, rasgadas pelas coortes do Invisível.

Nessa hora, a frota de Cabral foge das águas verdes e fartas da baía de Porto Seguro.

Entretanto, nas fitas extensas da praia choram, desesperadamente, os dois degredados, dos vinte párias sociais que o rei D. Manuel I destinara ao exílio.

Os homens do mar se distanciam daqueles sítios, levando amostras da sua extraordinária riqueza. Em toda a paisagem há um largo ponto de interrogação, enquanto os dois infelizes se lastimam sem consolo e sem esperança. Os silvícolas amáveis e fraternos lhes abrem os braços; é dos seus corações rudes e simples que desabrocham, para a amargura deles, as flores amigas de um brando conforto.

Mas, Afonso Ribeiro, um dos condenados ao penoso desterro, avança numa piroga[35] desprotegida e desmantelada, sem que os olhos da História lhe anotassem o gesto de profunda desesperação, a caminho do mar alto. Ao longe, percebem-se ainda os derradeiros mastros das caravelas itinerantes. O infeliz degredado anseia por morrer. Os últimos gemidos abafados lhe saem da garganta exausta. Seus olhos, inchados de pranto, contemplam as

---

[35] N.E.: Embarcação indígena a remo, cavada a fogo em tronco de árvore; canoa.

duas imensidades, a do oceano e a do céu, e, esperando na morte o socorro bondoso, exclama, do íntimo do coração:
— Jesus, tende piedade da minha infinita amargura! Enviai a morte ao meu espírito desterrado. Sou inocente, Senhor, e padeço a tirania da injustiça dos homens. Mas, se a traição e a covardia me arrebataram da pátria, afastando dos meus olhos as paisagens queridas e os afetos mais santos do coração, essas mesmas calúnias não me separaram da vossa Misericórdia!

Nesse instante, porém, o pobre exilado sente que uma alvorada de luz estranha lhe nasce no âmago da alma atribulada. Uma esperança nova se apossa de todas as suas fibras emotivas e, como por delicado milagre, a sua jangada rústica regressa, celeremente, à praia distante. Em vão as ondas sinistras e poderosas tentam arrebatá-lo para o oceano largo. Uma força misteriosa o conduz à terra firme, onde o seu coração encontrará uma família nova.

Ismael havia realizado o seu primeiro feito nas Terras de Vera Cruz. Trazendo um náufrago e inocente para a base da sociedade fraterna do porvir, ele obedecia a sagradas determinações do Divino Mestre. Primeiramente, surgiram os índios, que eram os simples de coração; em segundo lugar, chegavam os sedentos da Justiça Divina e, mais tarde, viriam os escravos, como a expressão dos humildes e dos aflitos, para a formação da alma coletiva de um povo bem-aventurado por sua mansidão e fraternidade. Naqueles dias longínquos de 1500, já se ouviam no Brasil os ecos acariciadores do Sermão da Montanha.

~ 4 ~
Os missionários

D. Manuel I recebeu sem grande surpresa a notícia do descobrimento das terras novas. Seu espírito se achava voltado para os tesouros inesgotáveis das Índias, que faziam da Lisboa daquele tempo uma das mais poderosas cidades marítimas da Europa. Contudo, o êxito do capitão-mor provocou um largo movimento de curiosidade no círculo dos navegadores portugueses.

Quase todas as expedições que se dirigiam aos régulos da Ásia tocavam nos portos vastos de Vera Cruz, cujo nordeste já centralizava as atenções dos comerciantes franceses, que aí se abasteciam de vastas provisões de pau-brasil.

Geralmente, as caravelas lusitanas que demandavam Calicut[36] traziam consigo grande número de exilados e de aventureiros. Muitos deles foram abandonados no extenso litoral do país inexplorado e desconhecido, ao influxo das inspirações do Mundo Invisível; essas criaturas vinham como batedores

---
[36] N.E.: Porto que os mercadores árabes frequentavam desde o século VII, foi descoberto por Vasco de Gama em 1498.

humildes, à frente dos trabalhadores que, mais tarde, chegariam às terras novas. A situação oficial perdurava com a indiferença do monarca, distraído pelas suas conquistas no Oriente; mas, entre as autoridades administrativas do Reino, comentava-se a questão da nova colônia abandonada aos exploradores franceses e espanhóis. Compelido pela opinião do seu tempo, D. Manuel providencia as primeiras expedições oficiais, a fim de que se colocasse nas suas praias extensas o sinal das armas portuguesas. Prepara-se a expedição de Gonçalo Coelho,[37] que, além de alguns cosmógrafos notáveis, levava consigo Américo Vespúcio,[38] famoso na história americana pelas suas cartas acerca do Novo Mundo, nas quais, infelizmente, reside grande percentagem de literatura e de pretensiosa imaginação. Chegando ao litoral baiano, Gonçalo Coelho organiza a feitoria de Santa Cruz, primeiro núcleo da civilização ocidental nas plagas brasileiras. O nome do país é agora Terra de Santa Cruz, pelo qual se faz conhecido nos documentos da metrópole.

Depois de graves incidentes, nos quais Vespúcio se entrega a aventuras pelo interior da colônia, sedento de posição e de glória, o expedicionário português, pobre de possibilidades e com raros companheiros, lança marcos de Portugal ao longo de toda a costa brasileira. Uma das emoções mais gratas ao seu espírito é o quadro maravilhoso da Baía de Guanabara. Julgando-se no estuário de um rio esplêndido, denomina Rio de Janeiro o local, em virtude de encontrar-se ali nos primeiros dias do primeiro mês do ano. No sítio, encantado, instala uma nova feitoria — a da Carioca, da qual não ficaram largos vestígios, passando aí meses a fio, a retemperar suas energias em contato com a paisagem magnífica. Prossegue na sua tarefa de reconhecimento e volta depois à metrópole, sem conseguir interessar o monarca no que se referia à exploração da terra nova. Limitou-se o rei português a permitir

---

[37] N.E.: Cosmógrafo e navegador português (1451–1512).
[38] N.E.: Navegador italiano (1454–1512).

o estabelecimento de feiras de pau-brasil, na colônia longínqua, o que facultou aos elementos estrangeiros o mais largo desenvolvimento de comércio com os indígenas da região litorânea. De Portugal, somente aportavam no Brasil, de vez em quando, alguns aventureiros e degredados, obedecendo a um apelo inexplicável e desconhecido.

Foi, aproximadamente, por essa época, que Ismael reuniu em grande assembleia os seus colaboradores mais devotados, com o objetivo de instituir um programa para as suas atividades espirituais na Terra de Santa Cruz:

— Irmãos — exclamou ele no seio da multidão de companheiros abnegados —, plantamos aqui, sob o olhar misericordioso de Jesus, a sua bandeira de paz e de perdão. Todo um campo de trabalhos se desdobra às nossas vistas. Precisamos de colaboradores devotados que não temam a luta e o sacrifício. Voltemo-nos para os centros culturais de Coimbra e de Lisboa, a regenerar as fontes do pensamento, no elevado sentido de ampliarmos a nossa ação espiritual. Alguns de vós ficareis em Portugal, mantendo de pé os elementos protetores dos nossos trabalhos, e a maioria terá de envergar o sambenito[39] humilde dos missionários penitentes, para levar o amor de Deus aos sertões ínvios e carecidos de todo o conforto. Temos de buscar no seio da Igreja as roupagens exteriores de nossa ação regeneradora. Infelizmente, a dolorosa situação do mundo europeu, em virtude do fanatismo religioso, tão cedo não será modificada. Somente as grandes dores realizarão a fraternidade no seio da instituição que deverá representar o pensamento do Senhor na face da Terra, a Igreja que, desviada dos seus grandes princípios pela mais terrível de todas as fatalidades históricas, foi obrigada a participar do organismo mundano e perecível dos Estados. Um sopro de

---

[39] N.E.: Hábito em forma de saco, em baeta amarela e vermelha, que se enfiava pela cabeça, usado pelos penitentes que iam ser queimados nas fogueiras da Inquisição.

reformas se anuncia, impetuoso, no âmago das organizações religiosas da Europa e, em breves dias, Roma conhecerá momentos muito amargos, não obstante os sonhos de arte e de grandeza de Leão X,[40] que detém neste instante uma coroa injustificável, porquanto o Reino de Jesus ainda não é desse mundo; mas temos de aproveitar as possibilidades que o seu campo nos oferece para encetar essa obra de edificação da pátria do Cordeiro de Deus.

Pregareis, em Portugal, a verdade e o desprendimento das riquezas terrestres e trabalhareis, sob a minha direção, nas florestas imensas de Santa Cruz, arrebanhando as almas para o único Pastor. O característico de vossa ação, como missionários do Pai celestial, será um testemunho legítimo de renúncia a todos os bens materiais e uma consoladora pobreza.

Quase todos os Espíritos santificados, ali presentes, se oferecem como voluntários da grande causa. Entre muitos, descobriremos José de Anchieta[41] e Bartolomeu dos Mártires,[42] Manuel da Nóbrega,[43] Diogo Jácome,[44] Leonardo Nunes[45] e muitos outros, que também foram dos chamados para esse conclave no Mundo Invisível.

Em 1531, após Portugal ter resolvido, sob a direção de D. João III,[46] a primeira tentativa de colonização da Terra de Santa Cruz, alguns dos convocados, participantes daquela augusta

---

[40] N.E.: Giovanni di Lorenzo de Medici (1475–1521), 217º papa católico.

[41] N.E.: Padre jesuíta espanhol; um dos fundadores de São Paulo (1534–1597).

[42] N.E.: Bartolomeu Fernandes dos Mártires (1514–1590), arcebispo de Braga; dedicou-se ao ensino em Lisboa.

[43] N.E.: Religioso e educador português (1517–1570).

[44] N.E.: Padre coadjutor da Companhia de Jesus (?–1565). Dedicou-se à catequese dos índios.

[45] N.E.: Padre jesuíta português (1490–1554). Atuou como missionário no Brasil, dedicando-se à catequese dos índios.

[46] N.E.: Décimo quinto rei de Portugal (1502–1557).

assembleia, chegavam ao Brasil com Martim Afonso de Sousa[47] e a sua companhia de trezentos homens, a tomar parte ativamente na fundação de São Vicente e Piratininga.

Nóbrega aportava mais tarde, na Bahia, com Tomé de Sousa, o primeiro governador-geral da colônia, em 1549, chefiando grande número desses irmãos dos simples e dos infelizes, a fim de estabelecer novos elementos de progresso e dar início à cidade de Salvador.

Anchieta veio depois, em 1553, com Duarte da Costa,[48] e se transformou no desvelado apóstolo do Brasil. Designado para desenvolver, particularmente, os núcleos de civilização já existentes em Piratininga, aí se manteve no seu respeitável colégio, que todos os governos paulistas conservaram com veneração carinhosa, como tradição de sua cultura e de sua bondade. Alguns historiadores falam com severidade da energia vigorosa do apóstolo que, muitas vezes, foi obrigado a assumir atitudes corretivas no seio das tribos, que, entretanto, lhe mereciam as dedicações e os desvelos de um pai. Anchieta aliou, no mundo, à suprema ternura, grande energia realizadora; mas, aqueles que, na história oficial, lhe descobrem os gestos enérgicos, não lhe notam a suavidade do coração e a profundeza dos sacrifícios, nem sabem que, depois, foi ainda ele a maior expressão de humildade no antigo convento de Santo Antônio do Rio de Janeiro, onde, com o hábito singelo de frade, adoçou ainda mais as suas concepções de autoridade. A edificadora humildade de um Fabiano de Cristo,[49] aliada a um sentimento de renúncia

---

[47] N.E.: Administrador colonial português (1500–1571). Comandou a primeira expedição portuguesa enviada ao Brasil com o fim de povoar a colônia (1531), fundando as vilas de São Vicente e Piratininga.
[48] N.E.: Administrador português; segundo governador-geral do Brasil.
[49] N.E.: João Barbosa (1676–1747), frade da Ordem dos Frades Menores. No Brasil, desenvolveu um trabalho de dedicação e amor ao próximo.

total de si mesmo, constituía a última pedra que faltava na sua coroa de apóstolo da imortalidade. D. João III teve a infelicidade de introduzir em Portugal o organismo sinistro da Inquisição.[50] Com o tribunal da penitência, vieram os jesuítas.

Não constitui objeto do nosso trabalho o exame dos erros profundos da condenável instituição, que fez da Igreja, por muitos séculos, um centro de perversidade e de sombras compactas, em todas as nações europeias, que a abrigaram à sombra da máquina do Estado. O que nos importa é a exaltação daqueles missionários de Deus, que afrontavam a noite das selvas para aclarar as consciências com a lição suave do Mártir do Calvário. Esses homens abnegados eram, de fato, "o sal da nova terra".

Os falsos sacerdotes poderiam continuar massacrando, em nome do Senhor, que é a Misericórdia Suprema; poderiam prosseguir ostentando as púrpuras luxuosas e todas as demais suntuosidades do reino mentiroso desse mundo, incensando os poderosos da Terra e distanciando-se dos pobres e dos aflitos, mas os humildes missionários da cruz ouviam a voz de Ismael, no âmago de suas almas; aos seus sagrados apelos, abandonaram todos os bens, para seguir os rastros luminosos daquele que foi e será sempre a Luz do mundo. Foram eles os primeiros traços luminosos das falanges imortais do Infinito, corporificadas na Terra do Evangelho, e, com a sua divina pobreza, se fizeram os iniciadores da grande missão apostólica do Brasil no seio do mundo moderno, inaugurando aqui um caminho resplandecente para todas as almas, transformando a terra do Cruzeiro numa dourada e eterna Porciúncula.

---

[50] N.E.: Tribunal eclesiástico instituído pela Igreja católica no começo do século XIII, com objetivo de investigar e julgar sumariamente pretensos hereges e feiticeiros, acusados de crimes contra a fé católica.

～ 5 ～
Os escravos

Certo dia, preparava-se, numa das esferas superiores do Infinito, o encontro de Ismael com aquele que será sempre o Caminho, a Verdade e a Vida.

Por toda parte, abriam-se flores evanescentes, oriundas de um solo de radiosas neblinas. Luzes policrômicas enfeitavam todas as paisagens celestes, que se perdiam na incomensurável extensão dos espaços felizes.

Rodeado dos seres santificados e venturosos que constituem a coorte luminosa de seus mensageiros abnegados, recebeu o Senhor, com a sua complacência, o emissário dileto do seu amor nas terras do Cruzeiro.

Ismael, porém, não trazia no coração o sinal da alegria. Seus traços fisionômicos deixavam mesmo transparecer angelical amargura.

— Senhor — exclama ele —, sinto dificuldades para fazer prevaleçam os vossos desígnios nos territórios onde pairam as vossas bênçãos dulcificantes. A civilização, que ali se inicia sob os imperativos da vossa vontade compassiva e misericordiosa, acaba de ser contaminada por lamentáveis acontecimentos. Os donatários[51] dos imensos latifúndios de Santa Cruz fizeram-se à vela, escravizando os negros indefesos da Luanda, da Guiné e de Angola. Infelizmente, os pobres cativos, miseráveis e desditosos, chegam à Pátria do vosso Evangelho como se fossem animais bravios e selvagens, sem coração e sem consciência.

O mensageiro, porém, não conseguiu continuar. Soluços divinos lhe rebentaram do peito opresso,[52] evocando tão amargas lembranças...

O Divino Mestre, porém, cingindo-o ao seu coração augusto e magnânimo, explicou brandamente:

— Ismael, asserena teu mundo íntimo no cumprimento dos sagrados deveres que te foram confiados. Bem sabes que os homens têm a sua responsabilidade pessoal nos feitos que realizam em suas existências isoladas e coletivas. Mas, se não podemos tolher-lhes aí a liberdade, também não podemos esquecer que existe o instituto imortal da Justiça Divina, onde cada qual receberá de conformidade com os seus atos. Havia eu determinado que a terra do Cruzeiro se povoasse de raças humildes do planeta, buscando-se a colaboração dos povos sofredores das regiões africanas; todavia, para que essa cooperação fosse efetivada sem o atrito das armas, aproximei Portugal daquelas raças sofredoras, sem violências de qualquer natureza. A colaboração africana deveria, pois, verificar-se sem abalos perniciosos, no capítulo das minhas amorosas determinações. O homem branco da Europa, entretanto, está prejudicado por uma educação espiritual condenável e deficiente. Desejando entregar-se ao prazer fictício dos sentidos, procura eximir-se aos trabalhos pesados da agricultura, alegando o pretexto dos climas

---

[51] N.E.: Fidalgos portugueses a quem D. João III doou alguma capitania hereditária no Brasil.

[52] N.E.: Oprimido.

considerados impiedosos. Eles terão a liberdade de humilhar os seus irmãos, em face da grande lei do arbítrio independente, embora limitado, instituído por Deus para reger a vida de todas as criaturas, dentro dos sagrados imperativos da responsabilidade individual; mas os que praticarem o nefando comércio sofrerão, igualmente, o mesmo martírio, nos dias do futuro, quando forem também vendidos e flagelados em identidade de circunstâncias. Na sua sede nociva de gozo, os homens brancos ainda não perceberam que a evolução se processa pela prática do bem e que todo o determinismo de nosso Pai deve assinalar-se pelo "amai o próximo como a vós mesmos". Ignoram voluntariamente que o mal gera outros males com um largo cortejo de sofrimentos. Contudo, através dessas linhas tortuosas, impostas pela vontade livre das criaturas humanas, operarei com a minha misericórdia. Colocarei a minha luz sobre essas sombras, amenizando tão dolorosas crueldades. Prossegue com as tuas renúncias em favor do Evangelho e confia na vitória da Providência Divina.

Calara-se a voz de Jesus por instantes; mais confortado, Ismael continuou:

— Senhor, não teríeis um meio direto de orientar a política dominante, no sentido de se purificar o ambiente moral da Terra de Santa Cruz?

Ao que o Divino Mestre ponderou sabiamente:

— Não nos compete cercear os atos e intenções dos nossos semelhantes, e sim cuidar intensamente de nós mesmos, considerando que cada um será justiçado na pauta de suas próprias obras. Infelizmente, Portugal, que representa um agrupamento de espíritos trabalhadores e dedicados, remanescente dos antigos fenícios, não soube receber as facilidades que a misericórdia do Supremo Senhor do Universo lhe outorgou nestes últimos anos. Até aos meus ouvidos têm chegado as súplicas dolorosas das raças flageladas por sua prepotência e desmesuradas ambições. Na velha Península já não existe o povo mais pobre e mais laborioso da

Europa. O luxo das conquistas lhe amoleceu as fibras criadoras, e todas as suas preciosas energias e qualidades de trabalho vêm esmorecendo sob o amontoado de riquezas fabulosas. Entretanto, o tempo é o grande mestre de todos os homens e de todos os povos, e, se não nos é possível cercear o arbítrio livre das almas, poderemos mudar o curso dos acontecimentos, a fim de que o povo lusitano aprenda, na dor e na miséria, as lições sagradas da experiência e da vida.

Ismael retornou à luta, cheio de fervorosa coragem, e os acontecimentos foram modificados.

Os donatários cruéis sofreram os mais tristes reveses no solo do Brasil.

Os tupinambás e os tupiniquins, que se localizavam na Bahia e haviam recebido Cabral com as melhores expressões de fraternidade, reagiram contra os colonizadores, transformados, para eles, em desalmados verdugos. Lutas cruentas desencadearam contra os brancos, que lhes depravavam os costumes.

A luxuosa expedição de João de Barros,[53] que se destinava ao Maranhão, mas que saíra de Lisboa com instruções secretas para conquistar o ouro dos Incas, no Peru, dispersou-se no mar, sofrendo os seus componentes infinitos martírios e resgatando com elevados tributos de sofrimento as suas criminosas intenções, na condenável aventura.

Os tesouros das Índias levaram o povo português à decadência e à miséria, pela disseminação dos artifícios do luxo e pelas campanhas abomináveis da conquista, cheias de crueldade e de sangue. A sede de ouro acarretava o abandono de todos os campos.

A Casa de Avis, sob cujo reinado se iniciou o tráfico hediondo dos homens livres, desapareceu para sempre, depois de sucessivos desastres. Após a derrota de D. Sebastião[54] em

---

[53] N.E.: Escritor renascentista português (1496–1570).
[54] N.E.: Décimo sexto rei de Portugal (1554–1578).

Alcácer-Quibir,[55] o trono caiu nas mãos do cardeal D. Henrique[56] e, em 1580, Portugal, exânime, entrega-se ao domínio da Espanha, acentuando-se a sua decadência com Filipe II,[57] o mais fanático e o mais cruel de todos os príncipes da Europa do século XVI.

Na formação da Pátria do Evangelho, o homem branco alterara os fatores, com as suas taras estratificadas e com a sua vontade independente; Jesus, no entanto, alterou os acontecimentos com o seu poder magnânimo e misericordioso.

Os filhos da África foram humilhados e abatidos no solo onde floresciam as suas bênçãos renovadoras e santificantes; o Senhor, porém, lhes sustentou o coração oprimido, iluminando o calvário dos seus indizíveis padecimentos com a lâmpada suave do seu inesgotável amor. Através das linhas tortuosas dos homens, realizou Jesus os seus grandes e benditos objetivos, porque os negros das costas africanas foram uma das pedras angulares do monumento evangélico do Coração do Mundo. Sobre os seus ombros flagelados, carrearam-se quase todos os elementos materiais para a organização física do Brasil e, do manancial de humildade de seus corações resignados e tristes, nasceram lições comovedoras, imunizando todos os espíritos contra os excessos do Imperialismo e do orgulho injustificáveis das outras nações do planeta, dotando-se a alma brasileira dos mais belos sentimentos de fraternidade, de ternura e de perdão.

---

[55] N.E.: Cidade situada no Marrocos Setentrional.
[56] N.E.: Décimo sétimo rei de Portugal (1512–1580).
[57] N.E.: Rei de Espanha, a partir de 1556, e rei de Portugal, como D. Filipe I, a partir de 1580 (1527–1598).

~ 6 ~
A civilização brasileira

Nas praias largas e fartas de Santa Cruz, floresciam cidades prestigiosas. Com o feudalismo das capitanias, as cidades e as vilas modernas do litoral do Brasil estavam já em seus primórdios, destacando-se dentre todas os núcleos populosos de Salvador e de São Vicente, em vista das facilidades encontradas pelos colonizadores, com o auxílio dos Caramurus[58] e dos Ramalhos,[59] que os haviam precedido na ação, junto dos indígenas.

Contudo, Portugal ainda não se decidira a destacar os seus elementos mais valorosos para os trabalhos da colônia, preferindo enviar-lhe criminosos e homens sem escrúpulos. Por toda parte, buscavam os naturais os recantos desconhecidos das florestas remotas, fugindo à escravidão e às torturas injustificáveis que lhes infligiam os homens brancos, por eles, um dia, acolhidos com as mais altas manifestações de fraternidade.

O atrito das raças dava ensejo aos quadros mais dolorosos e mais lamentáveis.

---

[58] N.E.: Diogo Álvares Correia (1475–1557), náufrago português que passou a vida entre os indígenas da costa do Brasil e facilitou o contato dos primeiros viajantes europeus com os povos nativos do Brasil.

[59] N.E.: João Ramalho (1493–1580), sertanista português.

Tomé de Sousa estava substituído por Duarte da Costa, que, como o primeiro governador-geral, trouxera também consigo alguns dos missionários concitados por Ismael ao novo apostolado nas florestas americanas.

Por essa época, os franceses desejaram aproveitar a encantadora beleza da Baía de Guanabara e estabeleceram aí uma feitoria, nos mesmos sítios por onde se havia retemperado Gonçalo Coelho, nos primeiros anos decorridos após o descobrimento. Com a proteção do almirante Coligny,[60] então favorito do rei Henrique II de França, Nicolau de Villegaignon[61] aporta à baía maravilhosa, em 1555, e funda uma colônia na Ilha de Serigipe, que tomou, mais tarde, o seu nome. Das árvores de Uruçumirim, que é hoje a praia elegante do Flamengo, os tamoios valentes contemplavam, receosos, a intromissão dos europeus na sua região privilegiada. Mas Villegaignon, com a sua mentalidade religiosa e honesta, consegue captar a confiança dos naturais, concedendo-lhes o mesmo tratamento dispensado aos seus companheiros. Os indígenas recebem carinhosamente a orientação de Paicolás[62] e se tornam devotados colaboradores da sua obra.

Enquanto os franceses vão se apoderando da costa, D. Duarte, na Bahia, lhes observa os movimentos, impossibilitado de adotar quaisquer providências. A metrópole portuguesa não se digna de enviar à colônia distante os elementos necessários à sua conservação e defesa. Villegaignon, localizado na Guanabara, edifica a sua obra; mas os padres calvinistas, que lhe acompanharam a expedição, inutilizam-lhe muitas vezes o trabalho construtivo, com as suas discussões estéreis. Em 1559, Villegaignon regressa à França, no propósito de buscar recursos oficiais, sem jamais tornar ao Brasil, ficando os seus compatriotas abandonados na colônia nascente.

---

[60] N.E.: Gaspard de Coligny (1519–1572), líder huguenote francês.
[61] N.E.: Nicolau Durand de Villegaignon (1510–1575), corsário francês.
[62] N.E.: Como Villegaignon era chamado pelos indígenas.

Brasil, coração do mundo, pátria do Evangelho

Em 1558, havia assumido o governo-geral de Santa Cruz, Mem de Sá, que combate sem tréguas a influência dos estrangeiros. Com a sua energia, expele os franceses do Rio de Janeiro, destruindo-lhes as fortificações. Mal, porém, se havia retirado o governador, voltaram os franceses dispersos a reassumir a sua posição na Ilha de Serigipe, com o auxílio dos tamoios, reunidos a esse tempo na maior confederação indígena que já existiu em terras do Brasil, sob a direção de Cunhambebe,[63] contra as perversidades dos colonizadores portugueses. O governador-geral reconhece a necessidade de fundar-se uma povoação que aí ficasse como sentinela da costa, a fim de eliminar os derradeiros resquícios das influências francesas. O grande projeto aguarda ensejo favorável para a sua concretização. Estácio de Sá, sobrinho do Governador, é então incumbido de comandar uma guarnição que ali se planta, em defesa da cidade; a povoação se reparte em pequenas guarnições de militares, junto ao Pão de Açúcar e numa das numerosas ilhas do golfo esplêndido. Os franceses, todavia, unem-se aos índios e Estácio de Sá morre, em 1567, empenhado com eles em guerras. O combate, em tais circunstâncias, assume proporções aspérrimas e rudes. Mem de Sá reúne todas as forças disponíveis nas cidades da colônia e ataca todas as fortificações que existiam onde hoje se situam a praia do Flamengo e a Ilha do Governador; obtém a mais completa vitória sobre o inimigo, mas permitiu, lamentavelmente, que aí se consumassem inauditas crueldades com os vencidos.

Os portugueses transferem, então, a cidade, que fica definitivamente fundada no morro de São Januário, mais tarde do Castelo. Em homenagem ao mártir do Cristianismo, recebeu a cidade o nome de São Sebastião, ficando outro sobrinho do Governador na sua administração.

Nas esferas superiores do Infinito, Ismael e suas abnegadas falanges choram sobre tão lamentáveis acontecimentos, quais o

---

[63] N.E.: Famoso chefe indígena tupinambá brasileiro que viveu no século XVI.

suplício imposto a João de Bolés[64] pelos elementos de mais confiança dos maiorais da Espiritualidade.

A cidade fica sob a proteção espiritual de Sebastião, o grande filho de Narbonne,[65] martirizado pela sua fé cristã ao tempo de Diocleciano,[66] em 288 da nossa era. Estácio de Sá reúne-se às falanges invisíveis, encarregadas de cooperar no progresso daqueles sítios. Sob as vistas amorosas do desvelado patrono da cidade, desdobra-se em dedicação a favor do seu progresso, entre os núcleos florescentes. Muitas vezes voltou Estácio a se corporificar na Pátria do Evangelho, para viver na paisagem predileta dos seus olhos. Sua personalidade aí adquiriu elementos de ciência e de virtude e, ainda há poucos anos, podia ser encontrada na figura do grande benemérito do Rio de Janeiro, que foi Oswaldo Cruz.[67]

Depois das lutas sanguinolentas nas praias da baía mais bela do mundo, onde os vícios europeus, desencadeando nefandas guerras religiosas, batalhavam entre si, estendendo suas crueldades até ao Novo Mundo, Ismael considerou a necessidade de estabelecer uma diretriz para a organização econômica da terra do Cruzeiro. Após a elaboração de largos projetos de ação do plano invisível, o sábio mensageiro do Senhor discrimina as funções de cada região da pátria brasileira. Junto do golfo enorme, onde os contornos da paisagem assumem as cambiantes mais delicadas e mais espantosas, desdobrando-se nos mais graciosos caprichos da Natureza, traça ele as linhas de uma urbe maravilhosa, que será a sede do pensamento brasileiro e, mais fundamente, no coração da terra moça e bravia, traceja as plantas magníficas das duas usinas mais poderosas, onde se guardará

---

[64] N.E.: Jean Jacques Le Balleur foi um missionário calvinista, estrangulado no Rio de Janeiro, em 20 de janeiro de 1567, pelo padre José de Anchieta.

[65] N.E.: Cidade do sudoeste da França.

[66] N.E.: Caius Aurelius Valerius Diocletianus (244–311), imperador romano.

[67] N.E.: Oswaldo Gonçalves Cruz (1872–1917), médico e cientista brasileiro.

o profundo manancial de suas forças orgânicas. Os pontos de fixação dessas sagradas balizas são encontrados ao longo dos 600 quilômetros de extensão do Paraíba do Sul e nas cabeceiras do São Francisco, cuja corrente deverá lançar, pelo seu percurso de quase 3 mil quilômetros, todas as sementes da brasilidade mais pura.

Aproveitou também Ismael os núcleos orientadores de Piratininga, que se expandiriam, mais tarde, com as audaciosas bandeiras. A linha do coração do Brasil, até hoje, se encontra aí traçada.

Ninguém pode negar a hegemonia da intelectualidade carioca e fluminense, desde os tempos em que a cidade de São Sebastião se derramou do morro do Castelo, invadindo as ilhas, absorvendo as praias longas e elevando-se pelos outeiros vizinhos. São Paulo e Minas de hoje foram as regiões escolhidas como as duas fontes poderosas que guardariam o potencial de energias orgânicas da terra, formando os primeiros índices da etnologia[68] brasileira. As águas do Paraíba do Sul e as de todo o percurso do São Francisco ainda constituem roteiro singular, onde se descobrem os característicos mais fortes do povo fraternal da terra do Cruzeiro. Cada estado do Brasil tem a sua função essencial no corpo ciclópico da pátria que representa o coração geográfico do mundo; mas em São Paulo e em Minas Gerais se assentaram, por determinação do Invisível, os elementos indispensáveis à organização da pátria esplêndida. Ambos serão ainda, por muito tempo, as conchas da balança política e econômica da nacionalidade e os dínamos mais poderosos da sua produção. Obedecendo aos elevados propósitos do mundo oculto, ambos ficaram irmanados junto do cérebro do país, por indefectíveis disposições do determinismo geográfico, que os reúne para sempre. Os Espíritos infelizes e perturbados, inimigos da obra de Jesus, que, entretanto, se converterão um dia ao supremo bem, pela sua infinita piedade, agem de preferência nos bastidores administrativos dos dois grandes

---

[68] N.E.: Estudo ou ciência que estuda os fatos e documentos levantados pela etnografia no âmbito da antropologia cultural e social, buscando uma apreciação analítica e comparativa das culturas.

estados brasileiros, provocando a vaidade dos seus homens públicos, levantando tricas políticas e conduzindo-os, muitas vezes, a lutas fratricidas e tenebrosas, no sentido de atrasar os triunfos divinos do Evangelho, no coração de todas as almas.

Mas os devotados obreiros do Além não descansam em sua faina de abnegação e renúncia e, ainda agora, em 1932, quando um distinto jornalista da atualidade rasgava a bandeira nacional na capital paulista, em seu famoso discurso sem palavras, José de Anchieta, de quem João de Bolés é agora dedicado colaborador, e vários outros gênios espirituais da terra brasileira se reuniam no Colégio de Piratininga, implorando a Jesus derramasse o doce bálsamo da sua humildade sobre o orgulho ferido dos valorosos piratininganos, e Ismael estende o seu lábaro de perdão e de concórdia sobre os movimentos fratricidas e reúne de novo os irmãos dos dois grandes estados centrais do país, para a realização da sua obra em prol do Evangelho.

As fraquezas e vaidades humanas, fermentadas por forças maléficas do mundo, têm separado muitas vezes as coletividades dos dois grandes estados da República, levando-os à inimizade e quase à ruína; mas, muito breve, quando as sombras da confusão dos tempos modernos invadirem ameaçadoramente os céus da pátria, ambos compreenderão a imperiosa necessidade de se unirem para sempre, como irmãos muito amados, novos símbolos de Castor e Pólux,[69] e expandirão juntos as suas energias étnicas, modeladoras da Terra do Evangelho, absorvendo nos seus surtos extraordinários as expressões excessivamente indiáticas do Amazonas, ao Norte, e as platinas influências nas planícies do Rio Grande, por cumprirem, de mãos dadas, os imperativos da sua grande missão histórica.

Nesse tempo que não vem muito longe, as mensagens de fraternidade e de amor, expedidas pelos gênios inspiradores do Brasil, do sagrado Colégio de Piratininga, tocarão, primeiramente, na coroa de tênues neblinas das montanhas, antes de ascenderem aos céus.

---

[69] N.E.: Na mitologia grega, heróis de Esparta, filhos gêmeos de Zeus e Leda.

~ 7 ~
Os negros do Brasil

Sob o domínio espanhol, Portugal sofria todas as consequências da sua inércia e imprevidência. A Espanha guardava o cetro de um império resplandecente e maravilhoso. Suas frotas poderosas cobriam as águas de todos os mares, carregando os tesouros do México e do Peru, do Brasil e das Índias, os quais faziam afluir para Madri a mais elevada percentagem de ouro do mundo inteiro.

Até hoje, comenta-se com espírito a célebre frase de Francisco I, exprimindo o seu desejo de conhecer a disposição testamentária de Adão, que dividira o mundo entre espanhóis e portugueses e o deserdara.

A esse tempo, a Terra do Evangelho não é mais conhecida pelo nome suave de Santa Cruz. À força das expressões comuns, dos negociantes que vinham buscar as suas fartas provisões de pau-brasil, seu nome se prende agora ao privilégio das suas madeiras. Os missionários da colônia protestaram contra a inovação adotada, mas as falanges do Infinito sancionaram a novidade imposta pelo espírito geral, considerando as terríveis crueldades cometidas na Baía de Guanabara, em nome do mais caricioso dos símbolos. A sanção de Ismael à escolha da nova expressão objetivava resguardar a Pátria do Cruzeiro dos perigos da Inquisição, que na Europa fomentava os mais hediondos movimentos em nome do Senhor.

A situação, no Brasil, sob todos os pontos de vista, como a da metrópole portuguesa, era dolorosa e cruel, embora governado por funcionário de Lisboa, segundo as combinações estipuladas na Península.

A raça aborígine e a raça negra sofriam toda sorte de humilhações e vexames. Os índios procuravam o Norte, em busca dos seus amigos franceses, que, expulsos do Rio por Mem de Sá, concentravam suas atividades no Maranhão, onde pretendiam fundar a França Equinocial, preocupando seriamente as autoridades da colônia. A situação geral era a mais deplorável. Ismael e seus abnegados colaboradores sofrem intensamente em seus trabalhos árduos e quase improfícuos, no sentido de organizar o instituto sagrado da família nas florestas inóspitas, onde os brancos não dispensavam consideração às leis humanas ou divinas, na condição de superioridade que se atribuíam.

Aos céus ascendem os aflitivos apelos dos obreiros invisíveis:

— Senhor! — exclama Ismael nas suas preocupações — estendei até nós o manto da vossa infinita misericórdia. Enviai-nos o socorro das vossas bênçãos divinas, para que as nossas vozes sejam ouvidas pelos Espíritos que aqui procuram edificar uma pátria nova. Nosso coração se comove ante os quadros deploráveis que se deparam às nossas vistas. Por toda parte, veem-se os infortúnios das raças flageladas e sofredoras.

Uma voz suave e meiga lhe responde do Infinito:

— Ismael, nas tuas obrigações e trabalhos, considera que a dor é a eterna lapidária de todos os espíritos e que o nosso Pai não concede aos filhos fardo superior às suas forças, nas lutas evolutivas. Abriga aí, na sagrada extensão dos territórios do País do

Evangelho, todos os infortunados e todos os infelizes. No meu coração ecoam as súplicas dolorosas de todos os seres sofredores, que se agrupam nas regiões inferiores dos espaços próximos da Terra. Agasalha-os no solo bendito que recebe as irradiações do símbolo estrelado, alimentando-os com o pão substancioso dos sofrimentos depuradores e das lágrimas que lavam todas as manchas da alma. Leva a essas coletividades espirituais, sinceramente arrependidas do seu passado obscuro e delituoso, a tua bandeira de paz e de esperança; ensina-lhes a ler os preceitos da minha Doutrina, nos códigos dourados do sofrimento.

Ismael sente que luzes compassivas e misericordiosas lhe visitam o coração e parte com os seus companheiros em busca dos planos da erraticidade mais próximos da Terra. Aí se encontram antigos batalhadores das Cruzadas, senhores feudais da Idade Média, padres e inquisidores, Espíritos rebeldes e revoltados, perdidos nos caminhos cheios da treva das suas consciências polutas.[70] O emissário do Senhor desdobra nessas grutas do sofrimento a sua bandeira de luz, como uma estrela-d'alva, assinalando o fim de profunda noite.

— Irmãos — exorta ele comovido —, até ao coração do Divino Mestre chegaram os vossos apelos de socorro espiritual. Da sua esfera de brandos arrebóis cristalinos, ordena a sua misericórdia que as vossas lágrimas sejam enxugadas para sempre. Um ensejo novo de trabalho se apresenta para a redenção das vossas almas, desviadas nos desfiladeiros do remorso e do crime. Há uma terra nova, onde Jesus implantará o seu Evangelho de caridade, de perdão e de amor indefiníveis. Nos séculos futuros, essa pátria generosa será a terra da promissão para todos os infelizes. Dos seus celeiros inesgotáveis sairá o pão de luz para todas as almas; mas preciso se faz nos voltemos para o seu solo virgem e exuberante a construir-lhe as bases com os nossos sacrifícios e devotamentos. Ali encontrareis, nos carreiros aspérrimos da dor

---
[70] N.E.: Manchada, corrompida, maculada.

que depura e santifica, a porta estreita para o Céu de que nos fala Jesus nas suas lições divinas. Aprendereis, no livro dos padecimentos salvadores, a gravar na consciência os sagrados parágrafos da virtude e do amor, na epopeia de luz da solidariedade, na expiação e no sofrimento. Sabei que todas as aquisições da Filosofia e da Ciência terrestres são flores sem perfume, ou luzes sem calor e sem vida, quando não se tocam das claridades do sentimento. Aqueles de vós que desejarem o supremo caminho venham para a nossa oficina de amor, de humildade e redenção.

E aí, nas estradas escuras e tristes da angústia espiritual, viu-se, então, que falanges imensas, ansiosas e extasiadas, avançavam com fervorosa coragem para as clareiras abertas naquela mansão de dor e de sombras. Todos queriam, no seu testemunho de agradecimento, beijar a bandeira sacrossanta do mensageiro divino. O seu emblema — *Deus, Cristo e Caridade* — refulgia agora nas penumbras, iluminando todas as coisas e clarificando todos os caminhos. As esperanças reunidas, daqueles seres infortunados e sofredores, faziam a vibração de luz que então aclarava todas as sendas e abria todos os entendimentos para a compreensão das finalidades, das determinações sublimes do Alto.

Essas entidades evolvidas pela Ciência, mas pobres de humildade e de amor, ouviram os apelos de Ismael e vieram construir as bases da terra do Cruzeiro. Foram elas que abriram os caminhos da terra virgem, sustentando nos ombros feridos o peso de todos os trabalhos. Nesse filão de claridades interiores, buscaram as pérolas da humildade e do sentimento com que se apresentaram mais tarde a Jesus, no dia, que lhes raiou, de redenção e de glória.

Foi por isso que os negros do Brasil se incorporaram à raça nova, constituindo um dos baluartes da nacionalidade, em todos os tempos. Com as suas abnegações santificantes e os seus prantos abençoados, fizeram brotar as alvoradas do trabalho, depois das noites primitivas. Na Pátria do Evangelho têm eles

Brasil, coração do mundo, pátria do Evangelho

sido estadistas, médicos, artistas, poetas e escritores, representando as personalidades mais eminentes. Em nenhuma outra parte do planeta alcançaram, ainda, a elevada e justa posição que lhes compete junto das outras raças do orbe, como acontece no Brasil, onde vivem nos ambientes da mais pura fraternidade. É que o Senhor lhes assinalou o papel na formação da Terra do Evangelho e foi por esse motivo que eles deram, desde o princípio de sua localização no país, os mais extraordinários exemplos de sacrifício à raça branca. Todos os grandes sentimentos que nobilitam as almas humanas eles os demonstraram e foi ainda o coração deles, dedicado ao ideal da solidariedade humana, que ensinou aos europeus a lição do trabalho e da obediência, na comuna fraterna dos Palmares, onde não havia nem ricos nem pobres e onde resistiram com o seu esforço e a sua perseverança, por mais de setenta anos, escrevendo, com a morte pela liberdade, o mais belo poema dos seus martírios nas terras americanas.

Por toda parte, no país, há um ensinamento caricioso do seu resignado heroísmo, e foi por essa razão que a terra brasileira soube reconhecer-lhes as abnegações santificadas, incorporando-os definitivamente à grande família, de cuja direção muitas vezes participam, sem jamais se esquecer do Brasil de que os seus maiores filhos se criaram para a grandeza da pátria, no generoso seio africano.

# ~ 8 ~
A invasão holandesa

Se à raça negra eram impostas as mais dolorosas torturas nos primórdios da organização do Brasil, não menores sacrifícios se exigiam dos indígenas, acostumados à amplitude da terra, propriedade deles.

As "entradas" pelo sertão, com o fito de escravizar os selvagens indefesos, se realizavam, naquele tempo, em todos os recantos. Tabas prósperas eram incendiadas de surpresa, no silêncio da noite. São famosas e comovedoras as descrições que desses fatos guardam os documentos antigos. Somente de uma vez, uma caravana de portugueses capturou mais de sete mil homens válidos, mulheres, velhos e crianças. E quando os mamelucos guiadores não convenciam os naturais de que deviam acompanhá-los às cidades mais próximas, para que as caçadas humanas se verificassem com pleno êxito, as cenas de selvajaria nodoavam a floresta virgem, enchendo de pavor os caminhos atapetados de cadáveres e de sangue coagulado. Como represália a tantas crueldades, os Tamoios nunca se harmonizaram com os portugueses. Desde o princípio da ação destes, foram seus declarados inimigos.

No seio dessas lutas devastadoras, em que venciam, a maior parte das vezes, as criminosas astúcias dos colonos, eram os padres piedosos os que mais sofriam, experimentando a angústia de se verem desprezados pelos seus próprios companheiros da raça branca, nos sertões ínvios e hostis. A alma simples dos naturais se mostrava maleável aos seus ensinamentos. Aos seus apelos, aproximavam-se dos núcleos de civilização. Aldeavam-se para uma vida ordeira que os colonizadores destruíam com as suas taras infames e seculares. Anchieta e quase todos os outros missionários das selvas brasileiras sustentaram demoradas lutas, defendendo os indígenas fraternos. A verdade, porém, é que, embora esfacelassem os púlpitos na pregação da piedade cristã, suas vozes se perdiam na imensidade do Céu, sem que seus irmãos da terra as escutassem com a ideia generosa de lhes praticar os carinhosos ensinos. Os primeiros brancos que aportaram à América do Sul, na sua generalidade, não tinham em conta a existência da lei nas extensas florestas do Novo Mundo.

    Os portugueses prosseguiam, incessantemente, na faina ingrata de "descer os índios".

    Regressando ao Além, os primeiros missionários da caravana luminosa de Ismael pedem a sua colaboração misericordiosa, para que semelhante situação se modifique. Mas o grande apóstolo de Jesus explica:

    — Irmãos, não podemos tolher a liberdade dos nossos semelhantes. Não sou indiferente a esses movimentos hediondos, nos quais os índios, simples e bons, são capturados para os duros trabalhos do cativeiro. Esperemos no Senhor, cujo coração misericordioso e augusto agasalhará todos aqueles que se encontram famintos de justiça. Contudo, poderemos, com os nossos esforços, auxiliar os encarnados na compreensão das leis fraternas, avisando-lhes o coração, de modo indireto, quanto aos seus divinos deveres. Infelizmente, não encontramos, na atualidade do planeta, outro povo que substitua os portugueses na grande

Brasil, coração do mundo, pátria do Evangelho

obra de edificação da Pátria do Evangelho. Todas as demais nações, como o próprio Portugal, se encontram presas da cobiça, da inveja e da ambição. Os vícios de todas as identificam perfeitamente umas com as outras, e no povo lusitano temos de considerar a austera honradez aliada a grandes qualidades de valor e de sentimento, que o habilitam, conforme a vontade do Senhor, a povoar os vastos latifúndios que constituirão mais tarde o pouso abençoado da lição de Jesus. Colonizadores desalmados estão em todos os países dos tempos modernos, que não reconhecem outro direito a não ser o da força desumana e impiedosa. Recorrendo, pois, às possibilidades ao nosso alcance, buscaremos, na Europa, um príncipe liberal, trabalhador e justo, que não esteja subordinado à política romana, a fim de caracterizar a nossa ação indireta. Traremos a sua personalidade de administrador para a parte mais flagelada da nova pátria, a fim de que seus exemplos possam servir aos que se encontram na direção das atividades sociais e políticas da colônia e beneficiem, de maneira geral, a nação inteira. Ele virá na qualidade de invasor, porquanto não encontramos outros recursos para a adoção de providências dessa natureza; mas a sua permanência no Brasil será curta e eventual, apenas durante os anos necessários a que suas lições sejam prodigalizadas aos administradores da nova terra. Preliminarmente, porém, devemos considerar que os seus companheiros não serão melhores que os portugueses, no sentido da educação espiritual. A época é de profundo atraso de quase todos os indivíduos e é para expelir essas trevas da consciência do mundo que nos teremos de sacrificar nas atmosferas próximas da Terra, trabalhando pela vitória do Senhor em todos os corações.

Os fatos se verificaram, consoante as afirmações do iluminado preposto de Jesus.

Em 1624, a pretexto de sua guerra com a Espanha, os holandeses tomavam de assalto a Bahia, sob o comando de Johan Van Dorth.[71]

Importa notar que as cenas dolorosas e lastimáveis, decorrentes da invasão, não foram organizadas pelas abnegadas falanges do mundo invisível. As causas profundas desses fatos residiam no estado evolutivo da época. Os morticínios nas praças incendiadas e destruídas se verificavam, todos os dias, entre inevitáveis atritos das raças chamadas a povoar aqueles recantos desconhecidos.

Em 1637, entrava em Pernambuco o general holandês João Maurício,[72] príncipe de Nassau. Inumeráveis benefícios e imensos frutos produziu a sua administração no norte[73] do Brasil, que foi sempre a zona mais sacrificada do país.

O Recife se ostenta, diante da Europa, como uma das mais belas cidades da América do Sul. Olinda é reedificada. Uma assembleia de mecânicos, de pintores, de arquitetos e artistas acompanha o príncipe de Nassau, enchendo a sua cidade de singulares esplendores. Mas o espírito construtivo do administrador holandês não se cristaliza nas expressões materiais da sua cidade predileta. O amor e o respeito que vota à liberdade fazem-no venerado de todos os brasileiros e portugueses de Pernambuco, cujas terras, naquela época, desciam até a região do Paracatu, em Minas Gerais. Todos os escravos que procuram abrigo à sombra da sua bandeira de tolerância ele os declara livres para sempre, e os índios encontram, no seu coração, o apoio de um nobre e leal amigo. Maurício de Nassau estabelece a liberdade religiosa

---

[71] N.E.: Nobre e militar holandês (1574–1624).
[72] N.E.: João Maurício de Nassau (1604–1679), militar holandês.
[73] N.E.: A divisão atual do país nas regiões N, NE, SE etc. veio mais tarde. Antigamente fazia-se referência apenas às três grandes regiões, que só mais tarde foram subdivididas: N, S e Central (esta abrangia as atuais SE e CO).

e administra Pernambuco, inaugurando aí a primeira liberal-democracia nas terras americanas, tais a justiça e a liberdade com que se houve em seu governo.

Os Albuquerques e outros elementos em evidência no Norte muito aprenderam com ele para as suas atividades do porvir.

A realidade, todavia, é que a lição de Nassau fora preparada no Plano Invisível, para que os colonizadores da terra brasileira recebessem um novo clarão no seu caminho rotineiro e obscuro.

Em socorro da nossa afirmativa, podemos invocar o testemunho da própria História, porque, terminado o tempo necessário à sua administração no Brasil, o grande príncipe holandês regressava à pátria, por imposição dos espíritos avarentos, que militavam, nessa época da Companhia das Índias, na política holandesa, sem que encontrassem substituto para a sua obra na América. Apesar de suas frotas extraordinárias e poderosas, a Holanda retirou-se do Brasil sem a intervenção de Portugal, bastando, para isso, o concurso dos habitantes da colônia. Quando a questão ficou definitivamente resolvida na Corte de Haia, em 1661, os holandeses, embora a sua soberania marítima perdurasse até então, em troca dos seus imensos trabalhos no norte do Brasil e dos milhões de florins[74] aí abandonados, apenas receberam, a título de indenização, a importância de cinco milhões de cruzados.

---

[74] N.E.: Antiga moeda de ouro de Florença, Itália.

~ 9 ~
A restauração de Portugal

No primeiro quartel do século XVII, a situação de Portugal era de profunda decadência. Sob o reinado de Filipe III, de Espanha, príncipe apático e doente, que entregara a direção de todos os negócios ao Duque de Lerma,[75] os esplendores das conquistas portuguesas haviam desaparecido.

Aquele povo minúsculo e heroico, cuja coragem acendera nova luz em todos os departamentos de trabalho do Ocidente, encontrava-se agora reduzido à quase penúria.

Foi por esse tempo que Henrique de Sagres, o antigo Helil, mensageiro de Jesus, que levantara as energias portuguesas com a sua escola de navegação, procurou o Senhor, tocado de compaixão e de angústia, a implorar a bênção da sua misericórdia para a nação de que se tornara o gênio renovador.

— Mestre — diz ele compungidamente —, venho pedir o vosso auxílio paternal para a terra portuguesa, cujas experiências amargas tocam, agora, ao auge das penosas provações coletivas.

---
[75] N.E.: Francisco de Sandoval y Rojas Lerma (1553–1625), político espanhol.

Humilhada e vencida, ela implora a vossa Divina Providência, por intermédio de minhas palavras, no sentido de lhe ser possível aproveitar as forças derradeiras, para uma reorganização política e econômica que a possa esquivar de tão angustiosa situação.

— Helil — replicou-lhe Jesus —, sabes que a minha piedade não se reveste de excessivas exigências. Enviei-te a Portugal com o fim de lhe reerguer as energias, compensando os seus grandes esforços de povo humilde e laborioso. Infelizmente, apesar de suas grandes qualidades de coração, os portugueses não souberam corresponder à nossa expectativa, provocando, eles próprios, a situação em que se encontram, pela fraqueza com que se entregaram à sinistra embriaguez da fortuna e da posse. Depois de teres ajudado Vasco da Gama a franquear o caminho marítimo das Índias, as forças lusas, após receberem os favores da cidade de Calicut, ali regressam, algum tempo mais tarde, para bombardeá-la, inundando-a num mar de crueldade e sangue. No Brasil, onde lançamos os fundamentos da Pátria do Evangelho, introduziram o tráfico de homens livres, forçando as falanges de Ismael a despender todos os esforços possíveis para que as ordens divinas não se subvertessem pelas iniquidades humanas. Em Lisboa, permitiram a entrada do terrível instituto da Inquisição, que comete no mundo todos os crimes em meu nome, que deveria ser, para todas as criaturas, um sinônimo de brandura e de amor.

— É verdade, Senhor — exclama Helil, amargurado —, quando o primeiro português aprisionou, nas Canárias, alguns pobres africanos, para vendê-los como escravos aos brancos da Europa, ordenei fossem imediatamente repatriados, enchendo-se-me o coração de amargura após tantos entusiasmos no período dos descobrimentos, quando eu vos confiava, no Restelo,[76] as lágrimas do meu reconhecimento e da minha esperança. Mas a grande pátria que me confiaste, Senhor, muito tem aprendido no caminho das experiências dolorosas. Nas suas cidades importantes

---

[76] N.E.: Região histórica situada na zona ocidental de Lisboa.

Brasil, coração do mundo, pátria do Evangelho

escasseiam os Espíritos de eleição, aptos à tarefa do governo; as nações ambiciosas se assenhoreiam de todas as suas possibilidades econômicas; suas riquezas são pilhadas pela pirataria do século; seu povo se acha esmagado pelos impostos; seus filhos abatidos e humilhados. Apiedai-vos, meu Jesus, de tanta miséria que nos enche o coração de infinita amargura! Permiti possamos restaurar-lhe as forças políticas, a fim de que ela cumpra as vossas determinações sábias e justas, na Terra do Evangelho!

— Essas experiências dolorosas — explicou-lhe o Divino Mestre — dotarão Portugal de novos sentimentos, acrisolando nele as concepções de brandura e de fraternidade, a fim de que possa corresponder ao nosso esforço, na edificação da pátria dos meus ensinamentos. Quais os elementos encarnados que utilizarás nessa restauração?

— Senhor, com o vosso apoio e com o vosso amparo, esperamos realizar essa reorganização buscando para o trono os descendentes de D. Afonso, primeiro duque de Bragança, que atualmente detêm a maior fortuna portuguesa e em cuja casa vivem mais de oitenta mil vassalos. Quanto ao nosso plano, constará de uma larga ação dos agrupamentos espirituais sob a minha direção, combinados com as falanges de Ismael, no sentido de intensificarmos o pensamento cristão em Portugal, projetando as mais nobres realizações no Brasil, disseminando-nos entre os colonizadores, a fim de que as concepções de fraternidade se intensifiquem, cimentando as bases da pátria das vossas lições divinas. Nossos apelos se estenderão aos companheiros reencarnados, que se encontram nas cortes espanholas e nas selvas americanas, para levantarmos a bandeira de Ismael sobre todas as frontes, como sublime legado do vosso coração compassivo e misericordioso.

— Sim, Helil — retrucou Jesus, bondoso —, teu plano se realizará com a minha bênção, efetuando-se essa ação espiritual conforme a idealizas. Temos, no entanto, de considerar que os elementos a serem utilizados são os mais representativos, porém não constituem os mais necessários. Não acho que a Casa de Bragança esteja preparada, espiritualmente, para a sublime realização; todavia, somos obrigados, igualmente, a reconhecer que pesadas trevas invadem atualmente todas as atividades políticas da Terra e tu te esforçarás por ampará-la nos grandes deveres que assumirá, neste e nos próximos séculos. Terás o cuidado de inspirá-la, no propósito de se organizarem as precisas combinações com as outras nacionalidades do mundo, para que a Pátria do Evangelho não sofra novos choques de raças, além dos até agora sofridos. Bem sabes que, enquanto os homens não se integrarem no conhecimento pleno da minha doutrina de amor e de fraternidade, os tratados comerciais serão os necessários jogos de interesses a equilibrarem as ambições, em proveito dos setores da verdadeira evolução espiritual. Auxiliarei os teus empreendimentos com a minha misericórdia, pedindo a nosso Pai que se digne de guardar-nos sob o pálio da sua bondade infinita.

Henrique de Sagres organizou as suas falanges e, em 1640, Portugal era restaurado, subindo ao trono D. João IV, chamado dos seus regalos e prazeres de Vila Viçosa, para os cuidados do Reino.

Ao cabo de um período de lutas ferrenhas, a restauração se consolida na batalha de Montijo, e a grande nação do Ocidente prossegue em seu labor abençoado por Jesus, na formação da Pátria do Cruzeiro.

Sob a orientação do Mundo Invisível, Portugal estabelece tratados comerciais, entre eles, alguns como o de Methuen,[77] que mais tarde se verificou ser ruinoso para a indústria portuguesa, mas colocava o Brasil a salvo de lutas com o poderio da Inglaterra.

Toda uma ação espiritual se conjuga, harmoniosamente, nessa época, e as falanges de Ismael e de Helil buscam, no silêncio e na obscuridade, o grande coração de Antônio Vieira, que

---

[77] N.E.: Tratado assinado entre a Inglaterra e Portugal (27/12/1703). Pelos seus termos, os portugueses se comprometiam a consumir os têxteis britânicos e, em contrapartida, os britânicos, os vinhos de Portugal.

se constituiu poderoso organismo mediúnico para as revelações de suas verdades.

Vieira toma posição ascendente na corte de D. João IV[78] e, daí a algum tempo, contra a vontade do soberano, que desejava conservar a sua palavra de sabedoria e de amor junto do seu coração, o grande missionário embarca para o Brasil.

Sua voz, saturada de suave magnetismo, ilumina todas as consciências, esclarecendo todos os corações. Em momento de sagrada eloquência, exclama ele:

— No Evangelho de Jesus, ofereceu o demônio todos os seus reinos pela posse de uma alma; mas, no Maranhão, não é necessário ao demônio tanta bolsa, para comprá-las todas. Basta acenar o diabo com um tijupar de pindoba e dois tapuias para que seja adorado com ambos os joelhos.

E não foram poucos os senhores que, tocados dessas claridades divinas, cuja origem profunda estava nas lições de Ismael e de seus abnegados mensageiros, correram às suas propriedades, envergonhados do crime de manter escravos os seus irmãos, e devolveram para sempre, aos pobres cativos, a liberdade.

---

[78] N.E.: Vigésimo primeiro rei de Portugal (1604–1656), o primeiro da quarta dinastia, fundador da dinastia de Bragança.

～ 10 ～
As Bandeiras[79]

No desdobramento da ação espiritual que deveria restaurar a pátria portuguesa, Ismael congregou os Espíritos que chegavam aos espaços depois do primeiro contato com a vida de Piratininga, a fim de elaborar novos projetos de trabalho naquele setor da Pátria do Evangelho.

Almas decididas e heroicas, postas ali para a construção da grande obra, apesar dos seus característicos de bondade e de energia, necessitavam regressar à luta terrestre, em seu próprio benefício.

O mensageiro divino as reuniu em grandes círculos, de onde lhe ouviram a palavra amiga e esclarecedora.

— Meus irmãos — disse ele —, regressareis dentro de breves dias aos núcleos de trabalho estabelecidos no planalto piratiningano. Prosseguireis atuando no mesmo campo de labor e liberdade com que caracterizastes as primeiras iniciativas aí desenvolvidas. Agora, levareis mais longe a vossa coragem e o vosso

---

[79] N.E.: Expedições armadas ao interior do Brasil (séculos XVI–XVIII). Iniciativas particulares visando a obtenção de lucro próprio.

heroísmo. Penetrareis o coração da terra do Cruzeiro, rasgando as sombras de suas florestas imensuráveis. Com a vossa dedicação, novas atividades serão descobertas e novas possibilidades hão de felicitar a existência dos colonizadores do país, onde nos desvelaremos pela conservação da bandeira de Jesus, desfraldada lá sobre todas as frontes e sobre todos os corações. Até hoje, têm-se multiplicado as tristes caçadas humanas em que os índios misérrimos são colhidos de surpresa, na sua simplicidade, para os penosos trabalhos do cativeiro; desvendareis, agora, as fontes de riqueza dos vastos latifúndios do Brasil, interessando a colonização e fazendo desabrochar com mais intensidade os núcleos valorosos desse movimento de intensificação dos órgãos de progresso da pátria e do seu povo. Muitos de vós conhecereis a penúria e o sofrimento; sacrificareis a fortuna e os afetos mais santos da família, para construirdes a base do porvir com as lágrimas abençoadas dos vossos martírios e das vossas renúncias exemplares. Vossa tarefa será rasgar as selvas remotas, patenteando o ouro depositado no seio da terra generosa.

Houve um interregno na sua alocução.

Ali se encontravam as entidades que seriam, mais tarde, entre muitos outros, Antônio Rodrigues Arzão,[80] Marcos de Azeredo,[81] Bartolomeu Bueno[82] e Fernão Dias Paes. Este último, quebrando o silêncio da grande assembleia, exclamou, provocando geral interesse:

— Anjo bom, que faremos com o ouro da terra, se no mundo ele é a causa sinistra de todas as lutas e o demônio de todas as

---

[80] N.E.: Bandeirante paulista, apontado como responsável pela descoberta de ouro em Minas Gerais.

[81] N.E.: Marcos Tenreiro de Azeredo Coutinho e Melo (1619–1680), explorador brasileiro que, à procura de esmeraldas, explorou parte do atual estado do Espírito Santo.

[82] N.E.: Bartolomeu Bueno da Silva (1585–1638), famoso bandeirante brasileiro.

ambições? Aqui, na vida espiritual, compreendemos semelhantes realidades; mas, no orbe das sombras, a nossa consciência mergulha nas mais aflitivas perturbações e bem sabeis que a água mais pura, misturando-se com a terra, se reduz quase sempre a um punhado de lama.

Ismael não se demorou para esclarecer:

— A Terra é a escola abençoada, onde aplicamos todos os elevados conhecimentos adquiridos no Infinito. É nesse vasto campo experimental que devemos aprender a ciência do bem e aliá-la à sua divina prática. Nos nevoeiros da carne, todas as trevas serão desfeitas pelos nossos próprios esforços individuais; dentro delas, o nosso Espírito andará esquecido de seu passado obscuro, para que todas as nossas iniciativas se valorizem. Precisamos entender essas brandas disposições das Leis Divinas, para que o determinismo do amor e da fraternidade constitua a lei da existência de todas as coisas e de todos os seres. Quanto ao ouro escondido no seio da terra exuberante, sua existência não significa senão um estímulo à ilusão dos homens, ainda muito distantes da concepção da verdadeira fraternidade, a fim de que as criaturas possam buscar os tesouros espirituais pelo trabalho fecundante da evolução do mundo. Procurando a grandeza ilusória do ouro, edificareis as cidades novas, fomentareis a pecuária e a agricultura, desbravando caminhos inóspitos em favor de outras almas. Um mundo novo se erguerá sobre os vossos ombros dilacerados nas disciplinas austeras, ao sol causticante das caminhadas penosas; mas o futuro se voltará para os vossos esforços com as suas bênçãos de agradecimento.

Dirigindo-se mais particularmente a Fernão Dias, Ismael sentenciou:

— Serás o chefe da expedição mais difícil de todas; porém, da tua coragem há de surgir um caminho novo para todos os espíritos. Muitas vezes serás compelido a exercer a mais rigorosa justiça, despendendo todas as tuas reservas de energia, mas é preciso não esqueças a Misericórdia Divina, sem exorbitar das funções que te forem confiadas, entregando a Jesus os teus trabalhos de cada dia.

O grande bandeirante recebeu submisso a determinação do divino emissário. Daí a alguns anos, nos dois últimos quartéis do século XVII, as bandeiras paulistas se espalharam por todas as regiões da terra virgem. Através das selvas bravias, marcham, como se o fizessem ao longo de largos e desconhecidos oceanos. As noites estreladas lhes servem de orientação e de bússola. A cruz do Cristo vai, como um símbolo, à frente de todos os expedicionários das novas tentativas de conquista. De Sorocaba, sobem por Goiás até ao Amazonas longínquo; e de Taubaté demandam a Paraíba do Norte. Em 1672, Fernão Dias Paes organiza, com todos os elementos de sua fortuna, a mais célebre das expedições saídas de São Paulo. Caçando as esmeraldas, que constituíam objeto das lendas de muitos aventureiros, visita todas as regiões auríferas de Minas Gerais. Rebeliões e discórdias são dominadas pela sua energia constante e severa. Para fortalecer a disciplina, o bandeirante audacioso manda enforcar o próprio filho, que participara da rebeldia geral, como escarmento exemplo aos companheiros, próximo à povoação do Sumidouro. As joias da mulher e das filhas são empregadas no seu arrojado empreendimento, arruinando-se a família inteira. Fernão Dias, porém, segue um roteiro luminoso. Por onde passa com as suas caravanas, florescem povoações asseadas e alegres. Seus pontos de contato com a terra paulista são os arraiais prósperos e fartos, que vai edificando nos caminhos desertos. As esmeraldas do seu sonho nunca foram encontradas, e as pedras verdes que entregou ao genro no instante da agonia, como única expressão da sua fortuna, representavam, decerto, o símbolo suave das esperanças do seu labor e das suas lágrimas na Terra do Evangelho. Próximo do local onde mandara enforcar o filho, nas margens do Rio das Velhas, o seu espírito de lutador se desprendeu igualmente do corpo exausto, e quando, no íntimo do seu coração, implorava a misericórdia do Altíssimo para o delito, com que exorbitara de suas funções na Terra, a voz de Ismael falou-lhe do Infinito:

— Irmão, as quedas, com as suas experiências sombrias, constituirão os degraus do teu caminho para as mais gloriosas ascensões espirituais. Atrás dos teus passos florescem cidades valorosas no coração das matas virgens, e os que recebem os teus benefícios abençoam o teu esforço e a tua energia perseverante. A essas mesmas paragens, onde turvaste a consciência por um instante, levado pelos rigores da disciplina, voltarás com teu filho, sob as asas cariciosas da fraternidade e do amor, a fim de reparares o passado cheio de tribulações e lutas incontáveis, porque, no coração misericordioso de Deus, repousam, eternamente, as luminosas esmeraldas da esperança e do amor, que procuraste a vida inteira.

Fernão Dias Paes abre os olhos materiais, pela última vez. Uma lágrima pesada e branca lhe corre pelas faces emagrecidas; mas, sobre o seu coração, paira a bênção cariciosa da terra dourada das minas, e, sentindo-se na posse das verdadeiras esmeraldas do seu grande sonho, o notável batalhador regressa de novo à vida do Infinito.

~ 11 ~
Os movimentos nativistas

A procura do ouro constituía a ansiedade incentivadora de todos os Espíritos. Entretanto, desde o princípio do século, o governo espanhol havia providenciado quanto à organização do Código Mineiro para o Brasil e, desde 1608 a 1617, quando a direção da colônia se achava repartida entre as cidades de Salvador e do Rio de Janeiro, já D. Francisco de Sousa guardava o título pomposo de Governador e Intendente das Minas.

Contudo, somente mais tarde as bandeiras audaciosas, iniciadas com a coragem paulista, rasgaram os véus espessos do cipoal da mata virgem, descobrindo os vastos lençóis de uma infinita riqueza. Muitos lustros decorreram sem que nada mais se observasse, senão os movimentos espantosos das correntes migratórias através dos sertões, procurando o ouro da terra desconhecida e encontrando, muitas vezes, nos seus caminhos a aflição, a angústia e a morte. O próprio Conselho Ultramarino,[83] em Lisboa,

---

[83] N.E.: Criado em 1642, com objetivo de regular as atividades comerciais das colônias portuguesas: Brasil, Índia, Guiné, São Tomé e Cabo Verde.

expunha mais tarde à autoridade da Coroa a necessidade de se reprimirem os excessos dessas migrações incessantes, para que o próprio reino não se despovoasse.

Por essa época, multiplicavam-se as emboscadas e a sede da posse turvava todas as consciências. Cidades futurosas se levantavam ao longo das estradas desertas e ermas, mas seus alicerces, a maior parte das vezes, se constituíam com o sangue e com a morte. Em toda a colônia, pairam ameaças de confusão e desordem. A lenda dos tesouros fabulosos, guardados no coração das selvas imensas, incendiava todos os ânimos e enfraquecia o ascendente da lei em todos os Espíritos. Os índios experimentam, amarguradamente, a atuação dessas forças contrárias à sua paz, que se concentravam à procura das riquezas da terra, e é com inauditos esforços de perseverança e de paciência que os caridosos jesuítas juntam suas aldeias ao Norte, com doçura fraterna, conquistando todo o Amazonas para a comunidade dos portugueses.

A esse tempo, no extremo norte convulsiona-se o Maranhão, sob os ímpetos revolucionários de Manuel Beckman,[84] contra a Companhia de Comércio, que monopolizara os negócios da importação e exportação da capitania, e contra os jesuítas, cujo espírito de fraternidade se interpunha entre os colonizadores e os índios, no sentido de se manterem estes últimos dentro da liberdade que lhes competia. Os amotinados prendem todos os elementos do governo e, organizando uma junta com elementos do clero, da nobreza e do povo, consideram extinto o monopólio e providenciam o imediato banimento dos protetores dos indígenas. Festas extraordinárias assinalam, no Maranhão, semelhantes feitos, inclusive te-déum[85] na Catedral de São Luís. A notícia de

---

[84] N.E.: Senhor de engenho e revolucionário português radicado no Brasil (1630–1685).

[85] N.E.: Hino litúrgico católico atribuído a Santo Ambrósio e a Santo Agostinho, iniciado com as palavras *Te Deum laudamus* (A Vós, ó Deus, louvamos).

tão singulares quão inesperados episódios provoca as apreensões da corte de Lisboa, que não desconhece as pretensões da França no tocante ao vale do Amazonas, nem ignora o ascendente moral dos franceses sobre os elementos indígenas. A expedição que deverá restaurar a lei na capitania não se faz esperar e a Gomes Freire de Andrade,[86] estadista notável pelo seu talento militar e político, cabe a direção do movimento restaurador. As providências da contrarrevolução no extremo norte são adotadas sem dificuldade. Gomes Freire procede com magnanimidade para com os revoltosos, sem, contudo, poder agir com a mesma liberalidade para com Manuel Beckman, que foi preso e sentenciado à morte. Sua fortuna teve-a ele confiscada, mas o grande oficial que comandara a expedição, dentro das tradições da generosidade portuguesa, arrematou todos os bens do infeliz, em hasta[87] pública, e os doou à viúva e aos órfãos do revolucionário.

Em 1683, a Bahia se conflagra, depois de assassinar o alcaide-mor da colônia, Francisco Teles de Menezes, que excitara as antipatias dos habitantes de Salvador. E os derradeiros anos do século XVII testemunham as atividades da colônia nesse período de transição dos movimentos nativistas. A sede do ouro penetra o século seguinte, que, mais intensamente, ia acender a febre da ambição em todas as cidades. Em 1710, as lutas se fixam na capitania de Pernambuco, que fazia questão de cultivar o sentimento de sua autonomia, desde os tempos da ocupação holandesa, com a qual fizera novas aquisições no que se referia aos patrimônios de sua independência. Os brasileiros de Olinda abrem luta com os portugueses de Recife, em razão das rivalidades entre as duas grandes cidades pernambucanas, que não se toleravam politicamente. As emboscadas ocasionam ali dolorosas cenas de sangue. Um ano inteiro de choques e sobressaltos assinala o período da Guerra dos Mascates.[88] Antes, porém,

---

[86] N.E.: Governador da Capitania do Maranhão de 1685 a 1687.
[87] N.E.: Leilão.
[88] N.E.: Conflito gerado no estado de Pernambuco entre os comerciantes

desses movimentos revolucionários em Pernambuco, os paulistas e os emboabas lutavam na região aurífera dos sertões de Minas Gerais, disputando-se a posse do ouro, que abrasava a imaginação do país inteiro. A felonia e a traição constituem o código dessas criaturas insuladas nas matas desconhecidas e inóspitas.

Pela mesma época, a França, que sempre custou a resignar--se com a influência portuguesa no Brasil, envia Duclerc[89] para investir no porto do Rio de Janeiro com mil homens de combate. A metrópole portuguesa não podia proteger, de pronto, a cidade, e o governador Francisco de Castro Morais,[90] deixando-se dominar pela timidez, permitiu o desembarque das forças francesas, que, todavia, foram rechaçadas pela população carioca. Estudantes e populares lutaram contra o invasor. Algumas dezenas de franceses foram barbaramente trucidados. Fizeram-se ali mais de quinhentos prisioneiros e o capitão Duclerc acabou assassinado em trágicas circunstâncias. O governo do Rio não providenciou quanto ao processo dos criminosos, a fim de punir os culpados e definir as responsabilidades pessoais, provocando com isso a reação dos franceses, que voltaram a assediar a maior cidade brasileira.

Duguay-Trouin[91] vem à Baía de Guanabara acompanhado de cerca de cinco mil combatentes. O Governador foge com quase todos os elementos da população, deixando o Rio à mercê do corsário que se ilustrara sob a proteção de Luís XIV. Depois do saque, que absorve muitos milhões de cruzados da fortuna particular, paga ainda a cidade fabuloso resgate.

---

de Recife e os latifundiários de Olinda, em 1711, para determinar quem detinha o poder central do estado.

[89] N.E.: Jean-François Duclerc (?–1711), corsário francês.
[90] N.E.: Administrador português nos séculos XVII e XVIII.
[91] N.E.: René Duguay-Trouin (1673–1736), corsário francês.

Enquanto se desenrolavam os últimos acontecimentos, governava em Portugal D. João V,[92] o Magnânimo, em cujo reinado ia o Brasil espalhar pela Europa os seus fabulosos tesouros. Nunca houve, ali, um soberano que mostrasse tamanho descaso pelas possibilidades econômicas do povo. O ouro e os diamantes do Brasil iam acender no seu trono as estrelas efêmeras do seu fastígio e da sua glória. A fortuna amontoada pela ambição e pela cobiça ia ser espalhada pelas mãos insensatas do rei, imprevidente e incapaz da autoridade de um trono. Dentro do luxo assombroso da sua corte, o Convento de Mafra se ergue ao preço de 120 milhões de cruzados. Mais de 200 milhões seguiriam para as arcas do Vaticano, dados pelo monarca egoísta, que desejava forçar as portas do Céu com o ouro iníquo da terra. Em vez de auxiliar a evolução da indústria e da agricultura de sua terra, D. João V levanta igrejas e mosteiros, com extrema prodigalidade, e, enquanto todas as cortes da Europa felicitavam o rei perdulário pelo descobrimento dos diamantes na sua afortunada colônia e se celebram te-déuns em Lisboa, em homenagem ao auspicioso acontecimento, pelo Brasil todo se alastravam movimentos nativistas, exaltando os sentimentos generosos da liberdade e preparando, assim, sob a inspiração de Ismael e de suas falanges devotadas, o futuro glorioso dos seus filhos.

---

[92] N.E.: João Francisco António José Bento Bernardo de Bragança (1689–1750).

~ 12 ~
No tempo dos vice-reis

A ação espiritual das falanges de Ismael, reunidas ao esforço dos elevados Espíritos que reconstruíam as energias portuguesas, intensifica-se cada vez mais no coração das duas pátrias irmãs. Pelo tratado de Methuen, assinado em 1703, a Inglaterra, cujo poderio marítimo se consolidava depois dos grandes feitos das armadas de Portugal, da Espanha e da Holanda, passaria a amontoar o ouro do Brasil, como principal fornecedora do primeiro e de suas colônias. No capítulo financeiro, o Brasil era, de fato, uma das suas fontes de riqueza, pois que todas as suas reservas se escoavam para o tesouro inglês. Uma sábia disposição do mundo invisível regulamentara a questão dessa forma, adotando essas providências para que a Pátria do Evangelho fosse colocada a cavaleiro de novos choques de ambição, nos seus territórios. A combinação de Methuen era ruinosa para a indústria portuguesa; mas, nos grandes jogos dos interesses internacionais, semelhantes acordos se faziam necessários. A Inglaterra ficaria com o ouro tangível, enquanto Portugal guardaria o ouro imperecível dos corações, dilatando a sua fé e as suas fronteiras, eternizando o patrimônio das suas tradições e das suas esperanças, no tempo e no espaço.

Nessa época, o Rio de Janeiro já eclipsava todas as cidades do Brasil. Aí, ao lado das águas claras e puras do rio Carioca, onde os Tamoios encontravam sagradas virtudes para a beleza de suas mulheres e para a voz dos seus cantores, já se erguia o casario imenso, a descer do cume dos morros para o lençol arenoso das praias.

Aí, sob o céu azul que cobre a paisagem tranquila, os governadores podem fazer, com serenidade imperturbável, seus longos expedientes para a metrópole e os padres podem rezar beatificamente, nos seus breviários, entre as paredes coloniais do Convento de Santo Antônio.

A sociedade tratava de aprender as regras de bem viver, de civilidade, nos livros encomendados especialmente do reino.

Ao entardecer, não se cuidava de outra coisa que não fosse a iluminação dos oratórios das esquinas, únicos pontos onde, às vezes, se concentravam alguns transeuntes retardatários, que afrontavam sem receio os capoeiras ocultos no silêncio das ruas ermas. De qualquer modo, porém, às oito horas da noite não se encontrava mais ninguém pelas vielas escuras, com exceção dos dias de grande gala, em que o Governador comparecia pessoalmente às festas populares, tendo todos o cuidado de ir a esses folguedos de rua com os elementos precisos para a iluminação do caminho, no regresso a casa.

O Rio de então, como as demais cidades não só do Brasil, mas também de Portugal, não primava pela higiene e pela limpeza. Os igarapés que conheci, ainda no princípio deste século, em algumas pequenas cidades do norte brasileiro, onde se viam, em pleno dia, homens e crianças acertando contas com a Natureza, se localizavam então nos recantos mais afastados das ruas, em grandes valas dentro das quais os pobres escravos depositavam, todas as tardes, o conteúdo malcheiroso dos largos potes de barro, carregados à cabeça.

Alguns forasteiros ilustres, que nos visitaram naquela época, arquivaram tristes impressões do Brasil dos vice-reis, cheio dos mais espantosos quadros de imundície. Todavia, um dos espetáculos mais dolorosos e comovedores ofereciam-no os mercados de escravos, como o do Valongo,[93] onde os miseráveis se amontoavam aos magotes, esperando o comprador que lhes examinava os pulsos e os dentes, selecionando os mais fortes para os duros trabalhos das fazendas. Ali, encontravam-se representantes dos negros de Guiné, de Cabinda e de Benguela, que eram separados dos pais e das mães, dos irmãos e dos filhos, nos sucessivos martirológios da raça negra, na qual os próprios padres de Portugal não viam irmãos em Humanidade, mas os amaldiçoados descendentes de Cam.[94] Até há pouco tempo, podia-se ver na Luanda a cadeira de pedra do bispo, de onde um prelado português abençoava os navios negreiros, prontos para se fazerem ao mar largo, com a pesada carga de desgraçados cativos. A bênção religiosa visava conservá-los vivos até aos portos do destino, a fim de que os mais fartos lucros compensassem o trabalho dos hediondos mercadores. Estes últimos, no entanto, além da bênção, adotavam outras precauções, amontoando os desditosos africanos nos porões infectos, onde viajavam como animais ferozes, trancafiados na prisão, para que não vissem, pela última vez, os horizontes do berço ingrato em que haviam nascido, vacinando-se contra as dores supremas da desesperação, que os arrastaria para os abismos do oceano.

Ismael, com as suas hostes do mundo invisível, consegue harmonizar lentamente os interesses espirituais de quantos se haviam estabelecido na Pátria do Cruzeiro. Sob a sua inspiração,

---

[93] N.E.: Cidade portuguesa no Distrito do Porto.
[94] N.E.: Personagem bíblico, segundo filho de Noé, amaldiçoado na sua descendência (os camitas) pela irreverência em relação ao pai.

a Igreja torna-se a protetora necessária da mentalidade infantil daquela época. Os templos da colônia abrem as portas para todos os infelizes e para todos os tristes. Os reinóis organizam festanças periódicas, missas e procissões da fé, bem como folganças profanas, quais as da "Serração da Velha".[95] Sob as vistas condescendentes da Igreja, os mensageiros do Espaço se fazem sentir mais fortemente junto dos senhores, amenizando a situação amargurada dos míseros cativos. Sob as suas influências indiretas, organizam-se correntes de filantropia, do mais elevado alcance. Costumes fraternos surgem espontaneamente no seio da população de todas as cidades brasileiras. O hábito de apadrinhar os negros faltosos, ou fugitivos, nunca é desrespeitado pelo senhor. Reconhece-se o direito de propriedade aos escravos, e o costume de ceder um dia ou dois aos trabalhos dos cativos é confirmado por lei, em 1700. Alastra-se o precioso movimento das alforrias na pia batismal, onde, com um óbolo insignificante, são declarados livres os filhos dos escravos. As associações dos negros nas grandes cidades do país, para realização das suas festas de saudade das paisagens africanas, são numerosas, com permissão de todas as autoridades. Os festejos originais do rei do Congo se levam a efeito com brilho, a expensas dos senhores.

A Igreja, no Brasil, abre o seu culto a São Benedito e a Nossa Senhora do Rosário, tornando-se um refúgio de doce consolação para os pobres africanos. As ordens religiosas possuíam os seus pretos, que eram bem tratados e jamais poderiam ser vendidos. Nas fazendas, agrupavam-se eles em famílias, que, as mais das vezes, eram plenamente alforriadas em testamento dos proprietários. Todos os hábitos em voga, na época, dão testemunho da liberdade brasileira, porquanto, em nosso país, nunca a emancipação foi impedida por lei, como em outras nações. A filantropia

---

[95] N.E.: Antiga tradição popular, integrada nos rituais de passagem, ligada ao simbolismo da regeneração e renovação.

dos brasileiros cedo começou o movimento abolicionista, e a prova da profunda assistência espiritual que acompanhava essas ações na Pátria do Evangelho é que nunca teve o Brasil um código negro, à maneira da França e da Inglaterra. E a verdade espiritual, que paira acima das considerações de todos os historiadores, é que Ismael preparou aqui a oficina da fraternidade, onde os negros incompreendidos vinham erguer a pátria da sua descendência. Se sofreram nas mãos de alguns escravocratas impiedosos, seus prantos e sacrifícios iam florescer ao tênue rocio das bênçãos do Céu, na Terra do Evangelho, clarificando-lhes, mais tarde, os caminhos, quando seus corações resignados e sofredores se dilatassem, na alma fraterna dos filhos e dos netos.

~ 13 ~
Pombal e os jesuítas

Após o reinado de esbanjamento de D. João V, sobe ao trono de Portugal D. José I, como o quinto rei da dinastia bragantina. O soberano escolhe para seu primeiro ministro Sebastião José de Carvalho e Melo,[96] depois conde de Oeiras e, mais tarde, marquês de Pombal.

As falanges espirituais, desvelando-se pela evolução portuguesa, haviam escolhido previamente esse homem para a reconstrução das energias da pátria, após os desvarios de D. João V, o monarca esbanjador e arbitrário, que nunca reuniu as cortes para uma consulta, necessária aos interesses do povo. O escolhido, porém, não soube corresponder integralmente às sagradas expectativas dos gênios espirituais da terra portuguesa. Se construiu, cometeu graves injustiças com a sua ditadura renovadora.

Pombal ascendera à posição de ministro depois de absorver as ideias novas que percorriam os setores de todas as atividades do Velho Mundo, ao sopro dos enciclopedistas. O campo

---
[96] N.E.: Nobre, diplomata e estadista português (1699-1782).

diplomático já lhe dera a conhecer a técnica política de um Robert Walpole[97] e, enquanto a sua pátria se algemava aos tribunais da Inquisição, com sérios prejuízos para a educação nacional, o cérebro se lhe povoava de planos audazes e reformadores.

Elevando-se ao trono em 1750, D. José I escolhe-o, imediatamente, para chefe supremo do seu governo e, quando em 1755 foi Lisboa parcialmente destruída por um terremoto, o Ministro renovador teve oportunidade de demonstrar a sua capacidade criadora, reedificando a cidade, que renasceu dos seus esforços mais engrandecida e mais bela.

O marquês de Pombal, todavia, desde os primórdios de sua ação no governo, não tolerava os jesuítas que, nas cortes europeias, se intrometiam em todos os negócios da política do século, com a pretensão de imunizar o mundo inteiro das correntes de pensamento da Reforma.

Os missionários humildes da célebre Companhia, radicados no Brasil, diga-se em honra da verdade, estavam muito longe das criminosas disputas em que se empenhavam seus irmãos no outro lado do Atlântico; mas sofreram com eles a incessante perseguição, tão logo se apossou do governo o famoso Ministro.

Surge, afinal, o atentado contra a vida de D. José I, em 1758. No dia 3 de setembro desse ano, quando regressava de uma entrevista ao Palácio da Ajuda, o soberano foi alvejado a tiros de bacamarte, partidos de um grupo de pessoas desconhecidas. As suspeitas recaíram no marquês de Távora e seus filhos, no conde de Atouguia e no duque de Aveiro. Conquanto fosse este último um dos implicados no movimento regicida,[98] o mesmo não acontecia aos Távoras, inocentes daquele delito. Instaurou-se um processo que terminou, apesar de todas as suas clamorosas irregularidades, com a sentença de morte para todos os implicados. Em vão, procuram os portugueses influentes na corte modificar

---

[97] N.E.: Político britânico (1676–1745).

[98] N.E.: Que ou aquele que matou um rei ou uma rainha.

a decisão do Ministro. Os condenados sofrem os mais horrorosos suplícios em Belém e a própria D. Leonor Tomásia,[99] marquesa de Távora, foi decapitada.

Pombal aproveita o ensejo que se lhe oferece para justificar a expulsão dos jesuítas, apontando-os como autores indiretos do atentado e D. José I, a instâncias do seu valido, assina sem hesitar o decreto de banimento.

Esse ato de Pombal se reflete largamente na vida do Brasil. Todo o movimento de organização social se devia, na colônia, aos esforços dos dedicados missionários. O clero comum possuía escravos numerosos e chegava a defender o suposto direito dos escravagistas, incentivando a caça aos índios e abençoando a carga misérrima dos navios negreiros. Os jesuítas, porém, sempre trabalharam, no início da organização brasileira, dentro dos mais amplos sentimentos de Humanidade. Aldeavam os índios, aprendiam a "língua geral", a fim de influenciarem mais diretamente no ânimo deles, trazendo as tabas rústicas às comunidades da civilização e foram, talvez, naqueles tempos longínquos, os únicos refletores dos ensinamentos do Alto, advogando o seu verbo inspirado a causa de todos os infelizes. A sua expulsão do Brasil retardou de muito tempo a educação das classes desfavorecidas e, se o ministro de D. José I estendeu algumas vezes o seu dinamismo renovador até a Pátria do Evangelho, sua ação poucas vezes ultrapassou o terreno material, tanto que, mesmo alguns melhoramentos introduzidos no Rio de Janeiro pelo conde de Bobadela, que levantou aí a primeira oficina tipográfica do país, foram por ele destruídos, à força de decretos que constituíam sérios obstáculos à facilidade de educação no território da colônia.

A esse tempo, observando a anulação dos seus esforços, os missionários humildes da cruz procuraram Ismael com instantes apelos. Seus trabalhos eram abandonados, por força das determinações do Ministro arbitrário. Suas intenções ficavam

---

[99] N.E.: Leonor Tomásia de Távora (1700-1759), nobre portuguesa.

incompreendidas, suas ações baldadas, no sentido de espalharem entre os sofredores as claridades consoladoras do ensino de Jesus.

Mas o generoso mensageiro pondera bondosamente aos seus dedicados colaboradores:

— Irmãos — diz ele —, muitas vezes, os próprios Espíritos que escolhemos para determinados labores terrestres não resistem à sedução do dinheiro e da autoridade. Sentem-se traídos em suas próprias forças e se entregam, sem resistência, ao inimigo oculto que lhes envenena o coração. Deixai aos déspotas da Terra a liberdade de agir sob o império da sua prepotência. Por mais que operem dentro das suas possibilidades no plano físico, a vitória pertencerá sempre a Jesus, que é a luminosidade tocante de todos os corações. Temos, porém, de considerar, a par da tirania política que tenta destruir a nossa ação, o lamentável desvio dos nossos irmãos incumbidos de velar pelo patrimônio do Evangelho, no mundo europeu. Infelizmente, não têm eles procurado levar a luz espiritual às almas aflitas e sofredoras, clareando a estrada dos ignorantes e abençoando o rude labor dos simples; ao contrário, buscam influenciar os príncipes do planeta, disputando os mais altos lugares de domínio no banquete dos poderes temporais, em todos os países onde milita a Igreja do Ocidente. Peçamos a Jesus pelos tiranos e pelos nossos companheiros desviados da consciência retilínea. Se terminamos, agora, uma etapa da nossa tarefa, em que aproveitamos os elementos que nos oferecia a disciplina da Companhia fundada por Loiola, prosseguiremos o nosso trabalho dentro de novas modalidades. Deixemos aos mortos o cuidado de enterrar seus mortos, como ensinou o divino Mestre em suas lições sublimes. Vossos irmãos, transformando a cruz do Cristo num símbolo de opressão e despotismo, nos tribunais malditos da Inquisição, cavam a sepultura moral de suas almas, que se amoldam ao sacrilégio e à ignomínia. Quanto aos políticos, esses têm uma órbita de ação que não lhes é possível ultrapassar; o tempo e a experiência,

Brasil, coração do mundo, pátria do Evangelho

com a dor, eterna aliada de ambos, ensinarão às suas consciências a lei de fraternidade e de amor, que esqueceram nos dias do fastígio e da glória efêmera sobre a face do mundo. Oremos por eles e que Jesus, na sua bondade infinita, nos acolha os corações sob o manto da sua misericórdia.

Enquanto oravam, gotas suaves de luz se derramavam do Céu sobre os caminhos tenebrosos da Terra e a palavra profética de Ismael teve, em breve, a sua confirmação.

A Companhia de Jesus foi suprimida pelo próprio papa Clemente XIV, em 1773, para reaparecer somente em 1814, com Pio VII. Nunca mais, todavia, puderam os jesuítas readquirir o imenso prestígio que possuíram no Ocidente. Quanto ao marquês de Pombal, conheceu no silêncio a lição do abandono e do olvido dos homens. No dia em que agonizava D. José I, o cardeal de Lisboa, D. João Cosme da Cunha, que devia ao famoso Ministro a altura da sua posição eclesiástica, lhe declara no aposento do moribundo: "V. Ex.ª já nada mais tem que aqui fazer", testemunhando-lhe venenosa ingratidão. Daí a algum tempo, em subindo ao trono, D. Maria I destituía o marquês de todas as suas funções no reino, banindo-o da corte após rumoroso processo, em que procurou fundamentar a sua condenação. Retirando-se para a Vila de Pombal, desprendeu-se do mundo em 1782, humilhado e esquecido, sob o jugo dos mais pungentes desgostos.

~ 14 ~
A Inconfidência Mineira

Por morte de D. José, ascendeu ao trono sua filha, D. Maria I, a Piedosa, a cuja autoridade ficariam afetas as grandes responsabilidades do trono, naquela época em que um sopro de vida nova modificava todas as disposições políticas e sociais do Velho Mundo. No seu reinado, Portugal sente esvaírem-se-lhe as forças poderosas e se encaminha com rapidez para a decadência e para a ruína. Não fossem as notáveis influências de um Martinho de Melo[100] ou de um duque de Lafões,[101] talvez fosse ainda mais desastroso o reinado de D. Maria, escravizada ao fanatismo do tempo e às opiniões dos seus confessores.

Por esse tempo, o Brasil sofria o máximo de vexames, no que se referia ao problema da sua liberdade. A capitania de Minas Gerais, que se criara e desenvolvera sob a carinhosa atenção dos paulistas, era então o maior centro de riquezas da colônia,

---

[100] N.E.: Martinho de Melo e Castro (1716–1795), diplomata e político português.
[101] N.E.: Título criado por decreto em 1718.

com as suas minas inesgotáveis de ouro e diamantes. A sede de tesouros edificara Vila Rica nos cumes enevoados e frios das montanhas, reunindo-se ali uma plêiade de poetas e escritores que sentiriam, de mais perto, as humilhações infligidas pela metrópole portuguesa à pátria que nascia. A verdade é que em Minas se sentia, mais que em toda parte, o despotismo e a tirania. O clero, a magistratura e o fisco, juntos aos ambiciosos que aí se estabeleceram, apossavam-se de todas as possibilidades econômicas, presas de criminosa ânsia de fortuna. Os padres queriam todo o ouro das minas para a edificação das suas igrejas suntuosas; os membros da magistratura consideravam de necessidade enriquecer-se, antes de regressarem a Portugal, com opulentas aquisições; os agentes do fisco executavam as determinações da corte de Lisboa, árvore farta e maravilhosa, onde todos os parasitas da nobreza iam sugar a seiva de pensões extraordinárias e fabulosas.

Eram então numerosos, na Europa, os estudantes brasileiros, os quais de lá voltavam ao país saturados dos princípios filosóficos de Rousseau[102] e dos enciclopedistas. A independência da América do Norte e a constituição democrática de Filadélfia animam aqueles espíritos, insulados nas montanhas distantes. Por toda a capitania mais rica da colônia, desdobram-se quadros dolorosos da miséria do povo, esmagado pelos impostos de toda natureza. As coletividades de trabalhadores, conduzidas à ruína pelo malogro das minerações, não conseguiriam suportar por mais tempo semelhantes vexames. Em Minas, porém, uma elite de brasileiros considera a gravidade da situação. Intelectuais distintos se sentem compenetrados da maioridade da pátria, que, ao seu ver, poderia tomar as rédeas dos seus próprios destinos.

Iniciam-se os esboços da conspiração. Depois de algumas conversações em Vila Rica, das quais, entre muitos outros, participaram

---
[102] N.E.: Jean-Jacques Rousseau (1712–1778), escritor e filósofo suíço.

Brasil, coração do mundo, pátria do Evangelho

Inácio de Alvarenga,[103] Joaquim José da Silva Xavier,[104] Cláudio Manuel da Costa[105] e Tomás Gonzaga,[106] conversações em que foram adotadas as primeiras providências, a infiltração das ideias libertárias começou a fazer-se por intermédio de todos os elementos da capitania, no que ela possuía de mais representativo. José Joaquim da Maia[107] é enviado à Europa para sondar o pensamento de Jefferson, embaixador da América do Norte em Paris, e angariar a simpatia dos brasileiros espalhados no Velho Mundo, para o movimento libertador. Outros estudantes, apaixonados pela emancipação da colônia, os conspiradores mandam a São Paulo e a Pernambuco, que formavam os dois centros mais importantes do país, com o objetivo de conquistar a adesão de ambos ao movimento. Todavia, nem Joaquim da Maia conseguiu o auxílio de Jefferson,[108] que apenas chegou a se interessar moralmente pelo projeto, nem os seus companheiros obtiveram o compromisso formal das capitanias mencionadas, para se articular o movimento revolucionário. Pernambuco estava refazendo as suas economias, depois das lutas penosas de Recife e Olinda, e São Paulo se encontrava desiludido, depois da guerra dos emboabas, na qual, muitas vezes, fora vítima da felonia e da traição. A conjuração de Minas, contudo, prossegue na propaganda, sem esmorecimentos.

Embriagados pela concepção da liberdade política, mas, dentro dos seus triunfos literários, afastados das realidades práticas

---

[103] N.E.: Inácio José de Alvarenga Peixoto (1744-1793), advogado e poeta brasileiro.

[104] N.E.: Dentista, tropeiro, minerador, comerciante, militar e ativista político brasileiro (1746-1792).

[105] N.E.: Jurista e poeta brasileiro (1729-1789).

[106] N.E.: Tomás Antônio Gonzaga (1744-1806), jurista, poeta e ativista político luso-brasileiro.

[107] N.E.: José Joaquim da Maia e Barbalho (1757-1788), também conhecido pelo pseudônimo *Vendek*.

[108] N.E.: Thomas Jefferson (1743-1826) foi o 3º presidente dos EUA.

da vida comum, os intelectuais mineiros não descansaram. Idealizaram a república, organizaram seus símbolos, multiplicaram prosélitos das suas ideias de liberdade; porém, no momento psicológico da ação, os delatores, a cuja frente se encontrava a personalidade de Silvério dos Reis,[109] português de Leiria, levaram todo o plano ao visconde de Barbacena, então governador de Minas Gerais. O governador age com prudência, a fim de sufocar a rebelião nas suas origens, e, expedindo informes para que o vice-rei Luís de Vasconcelos[110] efetuasse a prisão do Tiradentes no Rio de Janeiro, prende todos os elementos da conspiração em Vila Rica, depois de avisar secretamente aos seus amigos do peito, simpatizantes da conjuração, quanto à adoção de tais providências, para que não fossem igualmente implicados.

Aberta a devassa e terminado o vagaroso processo, são condenados à morte todos os chefes já presos.

Os historiadores falam do grande pavor daqueles onze homens que se ajuntavam, andrajosos e desesperados, na sala do oratório, para ouvirem a sentença da sua condenação, após três longos anos de separação, em que haviam ficado incomunicáveis nos diversos presídios da época. A leitura da peça condenatória, pelo desembargador Francisco Alves da Rocha, levou quase duas horas. Depois de conhecerem os seus termos, os infelizes conjurados passaram às mais dolorosas e recíprocas recriminações. Os mais tristes quadros de fraqueza moral se patenteavam naqueles corações desiludidos e desamparados; mas, no dia seguinte, a dura sentença era modificada. D. Maria I havia comutado anteriormente as penas de morte em perpétuo degredo nas desoladas regiões africanas, com exceção do Tiradentes, que teria de morrer na forca, conservando-se o cadáver insepulto e esquartejado, para escarmento[111] de quantos urdissem novas traições à coroa portuguesa.

---

[109] N.E.: Joaquim Silvério dos Reis Montenegro Leiria Grutes (1756–1819).

[110] N.E.: Luís de Vasconcelos e Sousa (1742–1809).

[111] N.E.: Repreenda, advertência severa.

O Mártir da Inconfidência, depois de haver apreciado, angustiadamente, a defecção dos companheiros, reveste-se de supremo heroísmo. Seu coração sente uma alegria sincera pela expiação cruel que somente a ele fora reservada, já que seus irmãos de ideal continuariam na posse do sagrado tesouro da vida. As falanges de Ismael lhe cercam a alma leal e forte, inundando-a de santas consolações. Tiradentes entrega o espírito a Deus, nos suplícios da forca, a 21 de abril de 1792. Um arrepio de aflitiva ansiedade percorre a multidão, no instante em que o seu corpo balança, pendente das traves do cadafalso, no Campo da Lampadosa.

Mas, nesse momento, Ismael recebia em seus braços carinhosos e fraternais a alma edificada do mártir.

— Irmão querido — exclama ele —, resgatas hoje os delitos cruéis que cometeste quando te ocupavas do nefando mister de inquisidor, nos tempos passados. Redimiste o pretérito obscuro e criminoso, com as lágrimas do teu sacrifício em favor da Pátria do Evangelho de Jesus. Passarás a ser um símbolo para a posteridade, com o teu heroísmo resignado nos sofrimentos purificadores. Qual novo gênio surges, para espargir bênçãos sobre a terra do Cruzeiro, em todos os séculos do seu futuro. Regozija-te no Senhor pelo desfecho dos teus sonhos de liberdade, porque cada um será justiçado de acordo com as suas obras. Se o Brasil se aproxima da sua maioridade como nação, ao influxo do Amor divino, será o próprio Portugal quem virá trazer, até ele, todos os elementos da sua emancipação política, sem o êxito incerto das revoluções feitas à custa do sangue fraterno, para multiplicar os órfãos e as viúvas na face sombria da Terra...

Um sulco luminoso desenhou-se nos espaços, à passagem das gloriosas entidades que vieram acompanhar o Espírito iluminado do mártir, que não chegou a contemplar o hediondo espetáculo do esquartejamento.

Daí a alguns dias, a piedosa rainha portuguesa enlouquecia, ferida de morte na sua consciência pelos remorsos pungentes que a dilaceravam e, consoante as profecias de Ismael, daí a alguns anos era o próprio Portugal que vinha trazer, com D. João VI, a independência do Brasil, sem o sucesso duvidoso das revoluções fratricidas, cujos resultados invariáveis são sempre a multiplicação dos sofrimentos das criaturas, diaceradas pelas provações e pelas dores, entre as pesadas sombras da vida terrestre.

~ 15 ~
A Revolução Francesa

Em 1792, D. João assumia a direção de todos os negócios do trono português, em virtude da perturbação mental de sua mãe, D. Maria I. Época de profundas transições em todos os setores políticos do Ocidente, a regência se caracterizou por inúmeros desastres, no capítulo da administração. Em 1789, estalara a Revolução Francesa, modificando a estrutura de todos os governos da Europa. Depois da sua reunião em Versalhes, no dia 5 de maio de 1789, os Estados Gerais se transformaram em Assembleia Constituinte e, a 14 de julho do mesmo ano, o povo, oprimido e dilacerado pelas flagelações e pelos impostos, derrubava a Bastilha, esfacelando o símbolo do despotismo da realeza. Luís XVI é guilhotinado a 21 de janeiro de 1793. Instala-se a república francesa sobre um pedestal de sangue, que corre abundantemente nas praças de Paris. A guilhotina decepa todas as cabeças da nobreza. Após a Declaração dos Direitos do Homem e do Cidadão, as coletividades da França se haviam entregado àqueles anos de embriaguez no morticínio.

Esses movimentos invadem todos os departamentos das atividades políticas da Europa. Todos os tronos se unem, então, para o extermínio da república nascente. Mas os revolucionários não esmorecem na sua encarniçada resistência. Todas as pessoas suspeitas são decapitadas. O período do terror é a grande ameaça ao mundo inteiro. Esse período, porém, se encerra com a morte de Maximiliano Robespierre,[112] no cadafalso para o qual os seus excessos de autoridade haviam mandado inúmeras vítimas.

Instala-se, em 1795, o Diretório, que Napoleão Bonaparte[113] faz derrubar em 1799, arvorando-se em primeiro cônsul. As casas imperiais europeias observam semelhantes acontecimentos, aguardando um ensejo próprio à restauração do trono que a família dos Bourbon[114] havia perdido. A França, após os desperdícios de força na luta fratricida, caíra nas mãos do ditador inteligente e implacável, que a conduziria ao caminho de todas as aventuras. De simples oficial de artilharia, Bonaparte chegara, mediante golpes de Estado, ao cargo supremo do país, fazendo-se proclamar imperador em 1804. Sob a sua direção audaciosa, todas as conquistas militares se empreendem. A Europa inteira apresta-se para a campanha, ao tinido sinistro das armas. Pela estratégia dos generais franceses, caem todas as praças de guerra e o imperador vai catalogando o número ascendente das suas vitórias.

A esse tempo, todos os gênios espirituais do Ocidente se reúnem nas esferas próximas do planeta, implorando a proteção divina para os seus irmãos da Humanidade. Emissários de Jesus descem com a sua palavra magnânima, a instruir os trabalhadores do bem, levantando-lhes as energias para os bons combates.

---

[112] N.E.: Maximilien François Marie Isidore de Robespierre (1758–1794), advogado e político francês; uma das personalidades mais importantes da Revolução Francesa.

[113] N.E.: Napoleão I, imperador francês (1769–1821).

[114] N.E.: Família nobre e importante casa real europeia.

— Irmãos — elucidam eles —, ordena o Senhor que espalhemos a sua luz e o seu amor infinito sobre todos os corações que sofrem na Terra. As forças das sombras intensificam a miséria e o sofrimento em todos os recantos do planeta. As ondas revolucionárias enchem de sangue todas as estradas do globo terrestre e as trombetas da guerra se fazem ouvir, entoando as notas horríveis da destruição e da morte. Levantemos o espírito geral das coletividades oprimidas, renovando a concepção de liberdade na face do mundo.

— Anjo amigo — interpelou um dos operários da luz naquela augusta assembleia —, estarão enquadrados na Lei Divina os trágicos acontecimentos que se desenrolam na Terra? Os tribunais se instalam para julgamentos sumários, que terminam sempre por sentenças de morte. As preces das viúvas e dos órfãos elevam-se até nós, nos mais dolorosos apelos, e, enquanto procuramos amparar esses irmãos com os nossos braços fraternos, o banquete da guerra, presidido pelos ditadores, prossegue sempre, como se obedecesse a uma fatalidade terrível dos destinos do mundo.

— Irmãos — explica o mensageiro —, o plano divino é o da evolução, e dentro dele todas as formas de progresso das criaturas se verificariam sem o concurso desses movimentos lamentáveis, que atestam a pobreza moral da consciência do mundo. A revolução e a guerra não obedecem ao sagrado determinismo das leis de Deus; traduzem o atrito tenebroso das correntes do mal, que conduzem o barco da vida humana ao mar encapelado das dores expiatórias. Os pensadores terrestres poderão objetar que das ações revolucionárias nascem novas modalidades evolutivas no planeta e que múltiplos benefícios se originam das suas atividades destruidoras; nós, porém, não compreendemos outras transformações que não sejam as que se verificam no íntimo dos homens, no augusto silêncio do seu mundo interior, conduzindo-os aos mais altos planos do conhecimento superior. Se, após os movimentos revolucionários, surgem no orbe novos aspectos de progresso geral, é que o bem é o único determinismo divino dentro do Universo, determinismo que absorve todas as ações humanas, para as assinalar com o sinete da fraternidade, da experiência e do amor. Os Espíritos das trevas se reúnem para a chacina e para a destruição, como acontece atualmente na Terra. Aliando-se às tendências e às fraquezas das criaturas humanas, levam a mentalidade geral a todos os desvarios. Eles julgam estabelecer o império das sombras no plano moral do globo terrestre, mas a verdade é que todos os triunfos pertencem a Jesus, e as correntes da luz e do bem absorvem todas as atividades, anulando os resultados porventura decorrentes da expansão limitada das trevas. É essa a razão por que, mesmo depois dessas ações destruidoras, florescerão outros núcleos valiosos de civilização. Até que a fraternidade deixe de ser uma figura mitológica no coração das criaturas humanas, até que estejam extintas as vaidades patrióticas, para que prevaleçam um só rebanho e um só pastor, que é Jesus Cristo, os seres das sombras terão o poder de arrastar o homem da Terra às lutas fratricidas. Mas, ai daqueles que fomentarem semelhantes delitos. Para as suas almas, a noite dos séculos é mais sombria e mais dolorosa. Infelizes de quantos tentarem fechar a porta ao progresso dos seus irmãos, porque acima da justiça subornável dos homens há um tribunal onde impera a equidade inviolável. A Têmis[115] divina conhece todos os traidores da Humanidade, que passam pelo mundo glorificados pela História; a condenação lhes marca a fronte e aos seus ouvidos ecoam, incessantemente, as palavras dolorosas: "Caim, Caim, que fizeste dos teus irmãos, maldito?". Somente as lágrimas, no círculo doloroso das reencarnações tenebrosas, lhes abrem uma vereda para a reabilitação, nas estradas eternas do tempo!

 Dissolvida a assembleia do Infinito, os amigos dos infortunados espalharam-se pelas sendas terrestres, a reerguerem seus irmãos nas lutas redentoras.

---

[115] N.E.: Na mitologia grega, deusa da Justiça. Seus atributos são a espada e a balança.

Napoleão prosseguia, deixando em toda parte um rastro de lágrimas e de sangue. Suas incursões, em todos os países, lhe granjeavam o espólio miserável das posições e das coroas, que o ditador ia distribuindo pelos seus familiares e amigos.

O século XIX começava a viver embalado pelo fragor das armas, em todas as direções.

Portugal alia-se à Inglaterra, resistindo às ordens supremas do conquistador. Bonaparte assina um tratado com a Espanha, que já se havia dobrado às suas determinações, e ordena a invasão imediata de Portugal.

A Inglaterra, com a sua prudência, sugere à Casa de Bragança a retirada para o Brasil. D. João VI hesita, antes de adotar semelhante resolução. O grande príncipe, tão generoso e tão infeliz, é encontrado, nas vésperas da partida, a chorar convulsivamente em um dos aposentos privados do palácio, mas aquela decisão era necessária e inadiável. A frota real velejou do Tejo[116] a 29 de novembro de 1807, a caminho da colônia e, mal havia desaparecido nas águas pesadas do Atlântico, já os soldados de Junot[117] se apoderavam de Lisboa e de suas fortalezas, com ordem de riscar Portugal da carta geográfica europeia.

Contudo, os gênios espirituais velavam pelos vencidos e pelos humilhados.

D. João VI chega ao Brasil em janeiro de 1808, depois de uma viagem cheia de acidentes e contrariedades.

O bondoso príncipe encontraria, na Terra do Evangelho, a hospitalidade que os reis de Castela não encontraram nas suas colônias da América do Sul, quando acossados pelas mãos de ferro do ditador. A Casa de Bragança ia dilatar até aqui os limites do seu reino, reconhecida e feliz por encontrar no Brasil a compreensão e a bondade, o acolhimento e o amor.

---

[116] N.E.: Maior rio da península Ibérica.
[117] N.E.: Jean-Andoche Junot (1771–1813), militar francês.

~ 16 ~
D. João VI no Brasil

Enquanto as falanges espirituais de Henrique de Sagres se reuniam em Portugal, revigorando as forças lusitanas para a escola de energia, que foi a guerra peninsular, o exército de Ismael voltava-se para o Brasil, a fim de inspirar o primeiro soberano do Velho Mundo que pisava as terras americanas.

A esses esclarecidos agrupamentos do mundo invisível, aliava-se agora a personalidade do Tiradentes, que se transformara em gênio inspirador de todos os brasileiros. Ismael reúne os seus colaboradores e fala assim aos devotados mensageiros:

— Amigos, um novo período surgirá agora para as nossas atividades na Terra do Evangelho. Ao sopro das inspirações divinas, reformar-se-á toda a vida política da pátria onde edificaremos, mais tarde, a obra de Jesus. Procuremos inspirar a quantos se conservam à frente dos interesses do povo, iluminando-lhes o caminho com as ideias generosas e fraternas da liberdade. Sobre os nossos esforços há de pairar a direção do Senhor, que se desvela amorosamente pelo cultivo da árvore sagrada dos ensinamentos, transplantada da Palestina para o coração do Brasil.

Aquela caravana de abnegados espalha-se, então, por todos os recantos da pátria, distribuindo com os seus esforços fraternais as sementes de uma vida nova.

A 22 de janeiro de 1808, aporta na Bahia a maior parte das embarcações que constituíam a frota real. O povo baiano recebe o príncipe regente e sua comitiva com as mais carinhosas demonstrações de amizade. Clarins e bandeiras anunciam, sob um sol quente e amigo, a presença da família real nas terras do Cruzeiro. A cidade de Salvador julga-se de novo nos seus grandes dias, contando com a honra de ser outra vez a capital da colônia, mas os navios descem ao longo da costa para o Rio de Janeiro.

Logo, porém, ao seu primeiro contato com o Brasil, sob o influxo das falanges do Infinito, o príncipe generoso sente-se tocado da mais alta simpatia para com a Pátria do Evangelho.

Ainda na Bahia, graças às suas relações com o conde de Aguiar, ministro de D. João VI, José da Silva Lisboa, mais tarde visconde de Cairu,[118] consegue do soberano a abertura de todos os portos da colônia ao comércio universal. E note-se que semelhante providência, a base primordial da autonomia brasileira, teve seus ascendentes indiscutivelmente, na atuação das forças espirituais que presidiam aos movimentos iniciais da emancipação, porque, na convenção secreta de Londres, em 22 de outubro de 1807, um dos pontos essenciais que deveriam ser observados, em troca da proteção de Jorge III[119] à Casa de Bragança, no sentido de sua fuga para a colônia distante, era o da abertura dos portos do Brasil à livre concorrência da Inglaterra, reservando-se tal direito somente aos interesses britânicos. O soberano e seus

---

[118] N.E.: José da Silva Lisboa (1756–1835), político e economista brasileiro.

[119] N.E.: George William Frederick (1738–1820), rei da Grã-Bretanha e rei da Irlanda de 25 de outubro de 1760 até a união desses dois países em 1º de janeiro de 1801, passando a ser Rei do Reino Unido da Grã-Bretanha e Irlanda até sua morte.

ministros conheciam essas estipulações, por intermédio de Lorde Strangford; mas, com o auxílio das influências salutares do plano invisível, reconsideraram a tempo o absurdo de semelhantes exigências e cuidaram de realizar as primeiras aspirações dos patriotas brasileiros.

A maravilha dos céus americanos deslumbra os olhos de D. João, que se entusiasma com a beleza natural da paisagem magnífica.

Acompanhado de numeroso séquito de fidalgos, onde se destacavam o visconde de Anadia,[120] elegante da época, inimigo implacável de todas as feições indígenas da colônia, o marquês de Belas,[121] o marquês de Angeja,[122] o duque de Cadaval[123] e toda uma comitiva enorme de vassalos e nobres, de guardas e criados, o soberano aportou ao Rio de Janeiro, num ambiente de geral alegria.

Nos seus novos paços, sentia-se o rei confortado e satisfeito com a magnificência do panorama e com a fartura da terra. Apenas D. Carlota Joaquina,[124] com a sua educação deficiente, a sua megalomania e apego aos prazeres requintados da época, não se conformava com a situação, protestando contra todos os elementos, demonstrando aridez de espírito e lamentável agressividade.

As caravanas do Infinito não descansaram junto das autoridades supremas da política administrativa. Todas as possibilidades foram aproveitadas pela sua operosidade infatigável. A 1º de abril

---

[120] N.E.: Título de nobreza criado por carta pela rainha portuguesa D. Maria I, em 1808.

[121] N.E.: Título de nobreza criado pela rainha portuguesa D. Maria I, em 1801.

[122] N.E.: Título de nobreza criado por carta pelo rei português D. João V, em 1714.

[123] N.E.: Título de nobreza criado por D. João IV, em 1648.

[124] N.E.: Carlota Joaquina Teresa Caetana de Bourbon e Bourbon (1775–1830), rainha de Portugal, filha de Carlos IV da Espanha, mulher de D. João VI e mãe de D. Pedro I.

de 1808, levantava-se a proibição que incidia sobre as indústrias nacionais, que foram declaradas livres, o que facilitou a colaboração dos estrangeiros estabelecidos nas costas marítimas da Pátria do Cruzeiro, surgindo um novo período de trabalho construtivo do país, prestes a celebrar suas núpcias com a liberdade.

O Rio de Janeiro, sob a direção do bondoso príncipe que, debaixo das influências poderosas do Alto, adotara um regime muito mais liberal do que as formas de governo existentes em Lisboa, enche-se de obras notáveis. Grandes instituições se fundam na cidade da mais maravilhosa baía do mundo. Surgem a Escola de Medicina, o Real Teatro São João, o Banco do Brasil; organizam-se os primórdios da Escola de Belas-Artes; cria-se a Academia de Marinha, o Conselho Militar, a Biblioteca Real; desenha-se o Jardim Botânico, como novo encanto da cidade, e, sobretudo, inicia-se, com a Imprensa Régia, a vida do jornalismo na Terra de Santa Cruz.

Entidades benevolentes e sábias, sob a direção de Ismael, espalham claridades novas em todos os Espíritos e, sob os seus generosos e imponderáveis impulsos, as grandes realizações do progresso brasileiro se avolumam por toda parte, nas mais elevadas demonstrações evolutivas.

O príncipe, contudo, não soube manter-se constantemente dentro das linhas de sua autoridade. Com as suas liberalidades na América, criava-se em derredor da sua corte toda uma sociedade de parasitas e de inúteis. Os reinóis abastados do Rio de Janeiro e das outras grandes cidades coloniais receberam títulos e condecorações de toda natureza. As cartas honoríficas eram expedidas quase que diariamente. Por toda parte, havia comendadores da Ordem do Cristo e cavaleiros de São Tiago dando lugar a um grande menosprezo pelas instituições. Os nobres da época eram os novos ricos do mundo moderno. Conquistados os títulos, sentiam-se no direito de viver colados ao orçamento da despesa, apodrecendo longe do trabalho. Só os gastos da despensa da corte, dos quais vivia a multidão dos criados, no Rio de Janeiro, ao tempo de D. João VI, se aproximavam da respeitável importância de mais de quinze mil contos de réis! O alojamento dos fidalgos e de suas famílias exigiu, por vezes a fio, as mais enérgicas providências da autoridade, no capítulo das expropriações. A chamada lei das aposentadorias obrigava todos os inquilinos e proprietários a ceder suas casas de residência aos favoritos e aos serviçais reais. Bastava que qualquer fidalgote desejasse este ou aquele prédio, para que o juiz aposentador efetuasse a necessária intimação, a fim de que fosse imediatamente desocupado. Ao oficial de justiça, incumbido desse trabalho, bastava escrever na porta de entrada as letras "P. R.", que se subentendiam por "Príncipe Regente", inscrição que a malícia carioca traduzia como significando — "Ponha-se na rua".

Moreira de Azevedo[125] conta em suas páginas que Agostinho Petra Bittencourt era um dos juízes aposentadores ao tempo de D. João VI, quando lhe apareceu um fidalgo da corte, exigindo pela segunda vez uma residência confortável, apesar de já se encontrar muito bem instalado. Decorridos alguns dias, o mesmo homem requer a mobília e, daí a algum tempo, solicita escravos. Recebendo a terceira solicitação, o juiz, indignado em face dos excessos da corte do Rio, exclama para a esposa, gritando para um dos apartamentos da casa:

— Prepare-se, D. Joaquina, porque por pouco tempo poderemos estar juntos.

E, indicando à mulher, que viera correndo atender ao chamado, o fidalgo que ali esperava a decisão, concluiu com ironia:

— Este senhor já por duas vezes exigiu casa; depois pediu-me mobília e agora vem pedir criados. Dentro em breve, desejará também uma mulher e, como não tenho outra senão a senhora, serei forçado a entregá-la.

---

[125] N.E.: Manuel Duarte Moreira de Azevedo (1832–1903), médico e professor de História.

Todavia, a despeito de todos os absurdos e de todos os dispêndios, que seriam de muito excedidos nos odiosos processos revolucionários, caso o país fosse obrigado a exigir pelas armas a sua emancipação, a corte de D. João VI ia prestar ao Brasil os mais inestimáveis serviços no capítulo de sua autonomia e de sua liberdade, sem os abusos criminosos das lutas fratricidas.

~ 17 ~
Primórdios da emancipação

Em 1815, passara a colônia a ser o reino do Brasil, em carta de lei de D. João VI. O Rio de Janeiro tornou-se, desse modo, a sede da monarquia portuguesa.

O soberano, reconhecido à terra que o asilara, dispensava ao Brasil os mais altos privilégios.

O progresso econômico da nação, alentado pelas forças estrangeiras aí estabelecidas com as garantias da lei, avançava em todos os setores da comunidade brasileira. Todo o país se rejubila com a nova era de prosperidade geral.

No Rio, porém, o generoso príncipe sofria os mais acerbos desgostos, no ambiente da família. Foi talvez em razão dos dissabores, que jamais se viu D. João VI perfeitamente integrado nas suas respeitáveis funções, no mundo oficial daquele tempo. São conhecidos o apego do soberano aos seus almoços solitários, sem as etiquetas da época; seu retraimento e desleixo quanto às pequeninas formalidades que constituem o problema da elegância de um século. Com as roupas desabotoadas, mal contendo o corpo nas suas dobras em desalinho, muitas vezes foi ele visto alheio às sérias preocupações da sua autoridade suprema, como se o seu espírito vagasse na paisagem de outros mundos. D. João se acostumara à maravilhosa beleza do sítio da Guanabara e se tomara de amor pela pátria que os seus valorosos antepassados haviam edificado. Enquanto Napoleão Bonaparte lia o *Eclesiastes* em meio dos seus infortúnios na ilha solitária de Santa Helena, para se convencer de que todas as glórias humanas não passam de vaidades e alucinação de espírito, o príncipe regente preferia fazer os seus passeios pelos arredores do Paço de São Cristóvão, esquecido das mentiras sociais da corte de Lisboa. Aqui, no Brasil, ao menos o inédito dos céus sempre azuis e das encantadoras perspectivas dos morros verdoengos e floridos representavam um anestésico para o seu coração dilacerado de filho, de esposo e de pai. Suas preocupações se dividiam entre a mãe demente, a esposa desleal e incompreensível, e o filho perdulário e estroina. No seu cérebro não havia lugar para considerações a respeito das transformações políticas da época e a antiga metrópole portuguesa continuava sob a orientação dos homens públicos da Inglaterra.

Em 1816, desprende-se do corpo enfermo e envelhecido o Espírito de D. Maria I. A rainha experimentara algo de lucidez nos seus derradeiros dias de supremas tribulações. Por muito tempo, contudo, esteve apegada às ilusões do seu trono, perseguida pelo vozerio das entidades desencarnadas em virtude de rigorosas sentenças de morte, por insinuação dos seus confessores e dos seus ministros. As torturas da Terra acompanham no Além aqueles que as semearam na face do mundo, pelo que o calvário da infeliz soberana não terminou com os seus últimos dias no orbe terrestre.

No ano seguinte, casou-se o príncipe D. Pedro com a arquiduquesa Leopoldina da Áustria. Alma sensível e delicada, essa princesa europeia foi trazida ao Brasil de acordo com as determinações do mundo invisível, para colaborar na realização dos elevados projetos de Ismael e dos seus mensageiros. Somente o seu coração, doce e submisso, poderia suportar resignadamente as estroinices do esposo, em um dos períodos mais delicados da sua vida, sem provocar escândalos que acarretariam atraso na marcha dos acontecimentos previstos.

A esse tempo, em todas as cortes da Europa, sopra fortemente o vento do Liberalismo, pressagiando o fim do poder absoluto. A república francesa havia desferido tremendos golpes em todos os preconceitos do sangue e da autoridade. As constituições moldadas na célebre Declaração dos Direitos do Homem e do Cidadão surgiam em todos os países, dando ensejo à renovação das liberdades políticas.

Depois da morte de D. Maria I, Portugal não se resigna à situação de subalternidade a que o conduzira a caprichosa vontade de D. João VI, perseverando em permanecer no Brasil, e prepara todos os elementos para a insurreição contra a ditadura despótica de Beresford,[126] em cujas mãos inábeis de administrador se encontrava o poder. A Maçonaria que, em todos os tempos, defendeu os princípios da liberdade e da fraternidade humanas, solicitada por elementos de Lisboa e de Pernambuco, não hesita em estender o seu concurso à independência do Brasil, que constituía assunto de somenos importância para os portugueses, desde que o soberano regressasse imediatamente à Europa, colocando-se à frente dos negócios do trono. A verdade, todavia, é que os pernambucanos exaltados não esperam a solução pelos processos pacíficos e, exacerbados os antigos ódios entre brasileiros e portugueses, que já haviam levado Recife e Olinda à guerra fratricida, promoveram a Revolução de 1817, na qual se sacrificaram tantas vidas. Foi quando apareceu, em todo o norte do país, o famoso *Preciso*, redigido por Luís de Mendonça, que se viu ameaçado de fuzilamento. As comissões militares, designadas para reprimir o movimento, ordenaram morticínio e crueldades

---

[126] N.E.: William Carr Beresford (1768-1854), militar britânico.

que consternaram o coração do próprio rei, induzindo-o a mandar suspendê-las sem perda de tempo, a fim de que cessassem as arbitrariedades dos executores das ordens do conde dos Arcos. A 6 de fevereiro de 1818, dia da sua coroação, o soberano concedeu anistia a todos os implicados.

Ismael e seus emissários conseguiram, com a proteção de Jesus, fazer desabrochar por toda parte os albores da paz, lançando os alicerces da emancipação do Brasil.

Em 1820, rebenta em Lisboa e no Porto a revolução constitucionalista. Portugal, reduzido à condição de colônia, desde a ocupação de Junot, reclamava a volta imediata da família real à metrópole portuguesa e o regime da constituição para a sua vida política. As próprias tropas, que estacionavam no Pará e na Bahia, aderiram ao movimento da pátria. D. João VI busca procrastinar as suas decisões. Promete enviar o príncipe D. Pedro para examinar a situação, mas todos ou quase todos os portugueses do Brasil protestam contra as atitudes tergiversantes do monarca. As tropas, aderindo ao movimento do reino, se reúnem no Largo do Róssio.[127] O momento era dos mais delicados.

Os colaboradores invisíveis, no entanto, desdobram suas atividades conciliadoras junto de todos os elementos políticos presentes na cidade e D. Pedro, depois de algumas combinações necessárias e rápidas, corre ao Paço de São Cristóvão, de onde traz um decreto antedatado, com a assinatura do soberano, declarando que aceita e mandará cumprir a constituição da Junta Revolucionária de Lisboa.

Os militares e a população entregam-se então às mais ruidosas manifestações de alegria. Girândolas e bandeiras celebram, nas ruas cariocas, o acontecimento.

Entram, porém, em jogo os interesses de Portugal e do Brasil. A 7 de março de 1821, D. João VI torna conhecida a sua resolução de regressar a Lisboa. Logo os favoritos da sua corte

---

[127] N.E.: Praça situada em Lisboa, hoje chamada de D. Pedro IV.

lhe insinuam a supressão de todas as liberdades que ele havia outorgado à Pátria do Evangelho, mas a mentalidade brasileira protesta pela voz dos seus homens mais eminentes.

O generoso soberano, cujo reinado transcorria num dos períodos mais críticos da História do mundo, foi obrigado a deixar no Brasil o filho, como príncipe regente.

No momento das despedidas, ele profere a famosa recomendação:

— Pedro, se o Brasil se separar de Portugal, antes seja para ti, que me respeitarás, do que para algum desses aventureiros.

~ 18 ~
No limiar da Independência

Novamente em Portugal, D. João VI se deixa levar ao sabor das circunstâncias. Lisboa vivia então sob grande terror, devido aos julgamentos sumários que se haviam verificado contra todos os implicados no movimento que visava depor a ditadura de Beresford. Inúmeros fuzilamentos se executaram, sem que as sentenças de morte fossem bafejadas pela sanção régia, constituindo verdadeiros assassínios, com os mais hediondos requintes de crueldade.

O soberano, que trazia constantemente na memória a figura de Luís XVI colada à guilhotina, sujeita-se a todas as imposições dos revolucionários. Jura a Constituição portuguesa, sem o assentimento da rainha D. Carlota, que é exilada para a Quinta do Ramalhão, onde ficará com o filho D. Miguel, urdindo novos planos inspirados pela sua desmesurada ambição.

Os portugueses influentes consideram o perigo da independência brasileira. A mais preciosa gema que se engastara à coroa da Casa de Bragança estava prestes a desprender-se, para sempre.

Todas as providências contrárias à pretensão dos brasileiros são adotadas imediatamente. Um período agitado surge na política da época, entre os polos antagônicos do Absolutismo e da Democracia. As cortes portuguesas, com 130 deputados, impunham a sua vontade despótica aos 72 deputados brasileiros, que assistiam, com verdadeiro heroísmo, ao desenvolvimento dos projetos de franca hostilidade à direção do príncipe regente do Brasil, que, aos poucos, se ia inflamando ao calor das ideias liberais. Aqueles poucos deputados apresentam um projeto criando na América um congresso independente das câmaras organizadas na Europa, projeto que é recebido pelos portugueses como um insulto à dignidade nacional. Declara um dos parlamentares que D. Pedro deveria abandonar o Paço de São Cristóvão, onde respirava a peçonha da bajulação dos inimigos do regime, e voltar a Lisboa, a fim de aprimorar a sua educação em viagens pela Europa. As agitações se intensificam num crescendo espantoso. Alguns deputados brasileiros, como Araújo Lima e Antônio Carlos, agredidos pela população, se veem coagidos a emigrar para a Inglaterra.

A caravana de Ismael desvela-se pelo cultivo das ideias liberais no coração da pátria e, por meio de processos indiretos, procura espalhar por todos os setores da Terra do Cruzeiro as sementes da fraternidade e do amor.

É então que a personalidade espiritual daquele que fora o Tiradentes procura o mensageiro de Jesus, solicitando-lhe o conselho esclarecido quanto à solução do problema da independência:

— Anjo amigo — inquire ele —, não será agora o instante decisivo para nossa atuação? Por toda parte há uma exaltação patriótica nos ânimos. As possibilidades estão dispersas, mas poderíamos reunir todas as forças, para o fim de derrubar as últimas muralhas que se opõem à liberdade da Pátria do Evangelho.

— Meu irmão — pondera Ismael sabiamente —, o momento da emancipação brasileira não tardará no horizonte de nossa atividade; todavia, precisamos articular todos os movimentos dentro da ordem construtiva, a fim de que não se percam as finalidades do nosso trabalho. O problema da liberdade é sempre uma questão delicada para todas as criaturas, porque todos os direitos adquiridos se fazem acompanhar de uma série de obrigações que lhes são correlatas. Cumpre considerar que toda elevação requer a plena consciência do dever a cumprir; daí a delicadeza da nossa missão, no sentido de repartir as responsabilidades. Precisamos difundir a educação individual e coletiva, dentro das nossas possibilidades, formando os Espíritos antes das obras. No problema em causa, temos de aproveitar a autoridade de um príncipe do mundo, para levar a efeito a separação das duas pátrias com o mínimo de lutas, sem manchar a nossa bandeira de redenção e de paz com o pungente espetáculo das lutas fratricidas. Cerquemos o coração desse príncipe das claridades fraternas da nossa assistência espiritual. Povoemos as suas noites de sonhos de amor à liberdade, desenvolvendo-lhe no espírito as noções da solidariedade humana. Individualmente considerado, não representa ele o tipo ideal, necessário à realização dos nossos projetos; voluntarioso e doente, não tem, para nós outros, um cérebro receptivo que facilite o nosso trabalho, mas ele encarna o princípio da autoridade e temos de mobilizar todos os elementos ao nosso alcance, para evitar os desvarios criminosos de uma guerra civil. Trabalhemos mais um pouco, junto ao seu coração irrequieto, procurando, simultaneamente, abrir caminho novo à educação geral. Em breves dias, poderemos concentrar as forças dispersas, para a proclamação da Independência e, após semelhante realização, enviaremos nosso apelo ao coração misericordioso de Jesus, implorando das suas bênçãos novo rumo para nossa tarefa, a fim de que a liberdade, bem aproveitada e bem dirigida, não constitua elemento de destruição na pátria dos seus sublimes ensinamentos.

    As sábias ponderações de Ismael foram rigorosamente observadas por seus abnegados companheiros de ação espiritual.

Os emissários invisíveis buscam, piedosamente, distribuir os elementos de paz e de concórdia geral, harmonizando todos os pensamentos para a edificação dos monumentos da liberdade. As agitações, porém, se avolumam em movimentos espantosos, empolgando a nação inteira. Debalde Portugal procurava reprimir a ideia da independência, que se firmara em todos os corações.

Assim, enquanto os brasileiros discutiam e conspiravam secretamente, a frota do vice-almirante Francisco Maximiano de Sousa, sob o comando do coronel Antônio Joaquim Rosado, com 1.200 homens, partia de Lisboa para o Rio de Janeiro, com ordem terminante de repatriar o príncipe D. Pedro.

~ 19 ~
A Independência

O movimento da emancipação percorria todos os departamentos de atividades políticas da pátria; mas, por disposição natural, era no Rio de Janeiro, cérebro do país, que fervilhavam as ideias libertárias, incendiando todos os Espíritos. Os mensageiros invisíveis desdobravam sua ação junto de todos os elementos, preparando a fase final do trabalho da independência, através dos processos pacíficos.

Os patriotas enxergavam no príncipe D. Pedro a figura máxima, que deveria encarnar o papel de libertador do reino do Brasil. O príncipe, porém, considerando as tradições e laços de família, hesitava ainda em optar pela decisão suprema de se separar, em caráter definitivo, da direção da metrópole.

Conhecendo as ordens rigorosas das cortes de Lisboa, que determinavam o imediato regresso de D. Pedro a Portugal, reúnem-se os cariocas para tomarem as providências de possível execução e uma representação com mais de oito mil assinaturas é levada ao príncipe regente, pelo Senado da Câmara, acompanhada de numerosa multidão, a 9 de janeiro de 1822. D. Pedro, diante da massa de povo, sente a assistência espiritual dos companheiros de Ismael, que o incitam a completar a obra da emancipação política da Pátria do Evangelho, recordando--lhe, simultaneamente, as palavras do pai no instante das despedidas. Aquele povo já possuía a consciência da sua maioridade e nunca mais suportaria o retrocesso à vida colonial, integrado que se achava no patrimônio das suas conquistas e das suas liberdades. Em face da realidade positiva, após alguns minutos de angustiosa expectativa, o povo carioca recebia, por intermédio de José Clemente Pereira,[128] a promessa formal do príncipe de que ficaria no Brasil, contra todas as determinações das cortes de Lisboa, para o bem da coletividade e para a felicidade geral da nação. Estava, assim, proclamada a Independência do Brasil, com a sua audaciosa desobediência às determinações da metrópole portuguesa.

Todo o Rio de Janeiro se enche de esperança e de alegria. Mas as tropas fiéis a Lisboa resolvem normalizar a situação, ameaçando abrir luta com os brasileiros, a fim de se fazer cumprirem as ordens da Coroa. Jorge de Avilez,[129] comandante da divisão, faz constar, imediatamente, os seus propósitos, e, a 11 de janeiro, as tropas portuguesas ocupam o Morro do Castelo, que ficava a cavaleiro da cidade. Ameaçado de bombardeio, o povo carioca reúne as multidões de milicianos, incorpora-os às tropas brasileiras e se posta contra o inimigo no Campo de Santana. O perigo iminente faz tremer o coração fraterno da cidade. Não fosse o auxílio do Alto, todos os propósitos de paz se teriam malogrado numa pavorosa maré de ruína e de sangue. Ismael acode ao apelo das mães desveladas e sofredoras e, com o seu coração angélico e santificado, penetra as fortificações de Avilez e lhe faz sentir o caráter odioso das suas ameaças à população. A verdade é que, sem

---

[128] N.E.: Político brasileiro de origem portuguesa (1787–1854).
[129] N.E.: Jorge de Avilez Zuzarte de Sousa Tavares (1785–1845).

um tiro, o chefe português obedeceu, com humildade, à intimação do príncipe D. Pedro, capitulando a 13 de janeiro e retirando-se com as suas tropas para a outra margem da Guanabara, até que pudesse regressar com elas para Lisboa.

Os patriotas, daí por diante, já não pensam noutra coisa que não seja a organização política do Brasil. Todas as câmaras e núcleos culturais do país se dirigem a D. Pedro em termos elogiosos, louvando-lhe a generosidade e exaltando-lhe os méritos.

Os homens eminentes da época, a cuja frente somos forçados a colocar a figura de José Bonifácio,[130] como a expressão culminante dos Andradas, auxiliam o Príncipe regente, sugerindo-lhe medidas e providências necessárias. Chegando ao Rio por ocasião do grande triunfo do povo, após a memorável resolução do "Fico", José Bonifácio foi feito ministro do reino do Brasil e dos Negócios Estrangeiros. O patriarca da Independência adota as medidas políticas que a situação exigia, inspirando, com êxito, o Príncipe regente nos seus delicados encargos de governo.

Gonçalves Ledo, frei Sampaio e José Clemente Pereira, paladinos da imprensa da época, foram igualmente grandes propulsores do movimento da opinião, concentrando as energias nacionais para a suprema afirmação da liberdade da pátria.

Todavia, se a ação desses abnegados condutores do povo se fazia sentir desde Minas Gerais até o Rio Grande do Sul, o predomínio dos portugueses, desde a Bahia até o Amazonas, representava sério obstáculo ao incremento e consolidação do ideal emancipacionista. O governo resolve contratar os serviços das tropas mercenárias de Lorde Cochrane,[131] o cavaleiro andante da liberdade da América Latina. Muitas lutas se travam nas costas baianas, e verdadeiros sacrifícios se impõem os mensageiros de Ismael, que se multiplicam em todos os setores com o objetivo de conciliar seus irmãos encarnados, dentro da

---

[130] N.E.: José Bonifácio de Andrada e Silva (1773-1838), político brasileiro.
[131] N.E.: Thomas A. Cochrane (1775-1860), militar e nobre escocês.

harmonia e da paz, sempre com a finalidade de preservar a unidade territorial do Brasil, para que se não fragmentasse o coração geográfico do mundo.
José Bonifácio aconselha a D. Pedro uma viagem a Minas Gerais, a fim de unificar o sentimento geral em favor da independência e serenar a luta acerba dos partidarismos. Em seguida, outra viagem, com os mesmos objetivos, realiza o príncipe regente a São Paulo. Os bandeirantes, que no Brasil sempre caminharam na vanguarda da emancipação e da autonomia, recebem-no com o entusiasmo da sua paixão libertária e com a alegria da sua generosa hospitalidade, e, enquanto há música e flores nos teatros e nas ruas paulistas, comemorando o acontecimento, as falanges invisíveis se reúnem no Colégio de Piratininga. O conclave espiritual se realiza sob a direção de Ismael, que deixa irradiar a luz misericordiosa do seu coração. Ali se encontram heróis das lutas maranhenses e pernambucanas, mineiros e paulistas, ouvindo-lhe a palavra cheia de ponderação e de ensinamentos. Terminando a sua alocução pontilhada de grande sabedoria, o mensageiro de Jesus sentenciou:
— A independência do Brasil, meus irmãos, já se encontra definitivamente proclamada. Desde 1808, ninguém lhe podia negar ou retirar essa liberdade. A emancipação da Pátria do Evangelho consolidou-se, porém, com os fatos verificados nestes últimos dias e, para não quebrarmos a força dos costumes terrenos, escolheremos agora uma data que assinale aos pósteros essa liberdade indestrutível.
Dirigindo-se ao Tiradentes, que se encontrava presente, rematou:
— O nosso irmão, martirizado há alguns anos pela grande causa, acompanhará D. Pedro em seu regresso ao Rio e, ainda na terra generosa de São Paulo, auxiliará o seu coração no grito supremo da liberdade. Uniremos assim, mais uma vez, as duas grandes oficinas do progresso da pátria, para que sejam as registradoras

Brasil, coração do mundo, pátria do Evangelho

do inesquecível acontecimento nos fastos da História. O grito da emancipação partiu das montanhas e deverá encontrar aqui o seu eco realizador. Agora, todos nós que aqui nos reunimos, no sagrado Colégio de Piratininga, elevemos a Deus o nosso coração em prece, pelo bem do Brasil.

Dali, do âmbito silencioso daquelas paredes respeitáveis, saiu uma vibração nova de fraternidade e de amor.

Tiradentes acompanhou o príncipe nos seus dias faustosos, de volta ao Rio de Janeiro. Um correio providencial leva ao conhecimento de D. Pedro as novas imposições das cortes de Lisboa e ali mesmo, nas margens do Ipiranga, quando ninguém contava com essa última declaração sua, ele deixa escapar o grito de "Independência ou Morte!", sem suspeitar de que era dócil instrumento de um emissário invisível, que velava pela grandeza da pátria.

Eis por que o 7 de setembro, com escassos comentários da história oficial, que considerava a independência já realizada nas proclamações de 1º de agosto de 1822, passou à memória da nacionalidade inteira como o Dia da Pátria e data inolvidável da sua liberdade.

Esse fato, despercebido da maioria dos estudiosos, representa a adesão intuitiva do povo aos elevados desígnios do Mundo Espiritual.

~ 20 ~
D. Pedro II [132]

Definitivamente proclamada a independência do Brasil, Ismael leva ao divino Mestre o relato de todas as conquistas verificadas, solicitando o amparo do seu coração compassivo e misericordioso para a organização política e social da Pátria do Evangelho. Corriam os primeiros meses de 1824, encontrando-se a emancipação do país mais ou menos consolidada perante a metrópole portuguesa. As últimas tropas reacionárias já se haviam recolhido a Lisboa, sob a pressão da esquadra brasileira nas águas baianas.

No Rio de Janeiro, transbordavam esperanças em todos os corações, mas os estadistas topavam com dificuldades para a organização estatal da Terra do Cruzeiro. A Constituição, depois de calorosos debates e dos famosos incidentes dos Andradas, incidentes que haviam terminado com a dissolução da Assembleia Constituinte e com o exílio desses notáveis brasileiros, só fora aclamada e jurada, justamente naquela época, a 25 de março de 1824. Nesse dia, findava a mais difícil de todas as etapas da

---
[132] N.E.: Segundo e último imperador do Brasil (1825–1891).

independência e o coração inquieto do primeiro imperador podia gabar-se de haver refletido, muitas vezes, naqueles dias turbulentos, os ditames dos emissários invisíveis, que revestiram as suas energias de novas claridades, para o formal desempenho da sua tarefa nos primeiros anos de liberdade da pátria.

Recebendo as confidências de Ismael, que apelava para a sua misericórdia infinita, considerou o Senhor a necessidade de polarizar as atividades do Brasil num centro de exemplos e de virtudes, para modelo geral de todos. Chamando Longinus à sua presença, falou com bondade:

— Longinus, entre as nações do orbe terrestre, organizei o Brasil como o coração do mundo. Minha assistência misericordiosa tem velado constantemente pelos seus destinos e, inspirando a Ismael e seus companheiros do Infinito, consegui evitar que a pilhagem das nações ricas e poderosas fragmentasse o seu vasto território, cuja configuração geográfica representa o órgão do sentimento no planeta, como um coração que deverá pulsar pela paz indestrutível e pela solidariedade coletiva e cuja evolução terá de dispensar, logicamente, a presença contínua dos meus emissários para a solução dos seus problemas de ordem geral. Bem sabes que os povos têm a sua maioridade, como os indivíduos, e se bem não os percam de vista os gênios tutelares do Mundo Espiritual, faz-se mister se lhes outorgue toda a liberdade de ação, a fim de aferirmos o aproveitamento das lições que lhes foram prodigalizadas.

"Sente-se o teu coração com a necessária fortaleza para cumprir uma grande missão na Pátria do Evangelho?"

— Senhor — respondeu Longinus, num misto de expectativa angustiosa e de refletida esperança —, bem conheces o meu elevado propósito de aprender as vossas lições divinas e de servir à causa das vossas verdades sublimes, na face triste da Terra. Muitas existências de dor tenho voluntariamente experimentado, para gravar no íntimo do meu espírito a compreensão do vosso amor

Brasil, coração do mundo, pátria do Evangelho

infinito, que não pude entender ao pé da cruz dos vossos martírios no Calvário, em razão dos espinhos da vaidade e da impenitência, que sufocavam, naquele tempo, a minha alma. Assim, é com indizível alegria, Senhor, que receberei vossa incumbência para trabalhar na terra generosa, onde se encontra a árvore magnânima da vossa inesgotável misericórdia. Seja qual for o gênero de serviços que me forem confiados, acolherei as vossas determinações como um sagrado ministério.

— Pois bem — redarguiu Jesus com grande piedade —, essa missão, se for bem cumprida por ti, constituirá a tua última romagem pelo planeta escuro da dor e do esquecimento. A tua tarefa será daquelas que requerem o máximo de renúncias e devotamentos. Serás imperador do Brasil, até que ele atinja a sua perfeita maioridade, como nação. Concentrarás o poder e a autoridade para beneficiar a todos os seus filhos. Não é preciso encarecer aos teus olhos a delicadeza e sublimidade desse mandato, porque os reis terrestres, quando bem compenetrados das suas elevadas obrigações diante das leis divinas, sentem nas suas coroas efêmeras um peso maior que o das algemas dos forçados. A autoridade, como a riqueza, é um patrimônio terrível para os espíritos inconscientes dos seus grandes deveres. Dos teus esforços se exigirá mais de meio século de lutas e dedicações permanentes. Inspirarei as tuas atividades, mas considera sempre a responsabilidade que permanecerá nas tuas mãos. Ampara os fracos e os desvalidos, corrige as leis despóticas e inaugura um novo período de progresso moral para o povo das terras do Cruzeiro. Institui, por toda parte, o regime do respeito e da paz, no continente, e lembra-te da prudência e da fraternidade que deverá manter o país nas suas relações com as nacionalidades vizinhas. Nas lutas internacionais, guarda a tua espada na bainha e espera o pronunciamento da minha justiça, que surgirá sempre, no momento oportuno. Fisicamente consideradas, todas as nações constituem o patrimônio comum da Humanidade e, se algum dia for o Brasil menosprezado, saberei providenciar para que sejam devidamente restabelecidos os princípios da justiça e da fraternidade universal. Procura aliviar os padecimentos daqueles que sofrem nos martírios do cativeiro, cuja abolição se verificará nos últimos tempos do teu reinado. Tuas lides terminarão ao fim deste século, e não deves esperar a gratidão dos teus contemporâneos; ao fim delas, serás alijado da tua posição por aqueles mesmos a quem proporcionares os elementos de cultura e liberdade. As mãos aduladoras, que buscarem a proteção das tuas, voltarão aos teus palácios transitórios para assinar o decreto da tua expulsão do solo abençoado, onde semearás o respeito e a honra, o amor e o dever, com as lágrimas redentoras dos teus sacrifícios. Contudo, amparar-te-ei o coração nos angustiosos transes do teu último resgate, no planeta das sombras. Nos dias da amargura final, minha luz descerá sobre os teus cabelos brancos, santificando a tua morte. Conserva as tuas esperanças na minha misericórdia, porque, se observares as minhas recomendações, não cairá uma gota de sangue no instante amargo em que experimentares o teu coração igualmente trespassado pelo gládio da ingratidão. A posteridade, porém, saberá descobrir as marcas dos teus passos na Terra, para se firmar no roteiro da paz e da missão evangélica do Brasil.

Longinus recebeu com humildade a designação de Jesus, implorando o socorro de suas inspirações divinas para a grande tarefa do trono.

Ele nasceria no ramo enfermo da família dos Braganças; mas todas as enfermidades têm na alma as suas raízes profundas. Se muitas vezes parece permanecer a herança psicológica, é que o sagrado instituto da família, dentro da lei das afinidades, frequentemente se perpetua no infinito do tempo. Os antepassados e seus descendentes, espiritualmente considerados, são, às vezes, as mesmas figuras sob nomes vários, na árvore genealógica, obedecendo aos sábios dispositivos da lei de reencarnação. Foi assim que Longinus preparou a sua volta à Terra, depois de outras existências tecidas de abnegações edificantes em favor da Humanidade, e, no dia 2 de dezembro de 1825, no Rio de Janeiro, nascia de D. Leopoldina, a virtuosa esposa de D. Pedro, aquele que seria, no Brasil, o grande imperador e que, na expressão dos seus próprios adversários, seria o maior de todos os republicanos de sua pátria.

～ 21 ～
Fim do Primeiro Reinado

Um dos traços característicos do povo brasileiro é o seu profundo amor à liberdade. A largueza da terra e o infinito dos horizontes dilataram os sentimentos de emancipação em todas as almas chamadas a viver sob a luz do Cruzeiro. Desde que se esboçaram os primeiros movimentos nativistas, a mentalidade geral do Brasil obedeceu a esse nobre imperativo de independência e, ainda hoje, todas as ações revolucionárias que se verificam no país, lamentavelmente embora, trazem no fundo esse anseio de liberdade como o seu móvel essencial.

A atitude de D. Pedro I, ordenando a dissolução da Constituinte, em 1823, tivera funda repercussão no espírito geral.

Se bem ignorasse o que vinha a ser uma constituição boa e justa, o povo a reclamava, dentro do seu conhecimento intuitivo, acerca da transformação dos tempos.

O imperador, apesar das suas paixões tumultuárias e das suas fraquezas como homem, possuía notável acuidade, se tratando de psicologia política. Os estudiosos, que viram na sua personalidade somente o amoroso insaciável, muitas vezes não lhe reconhecem o espírito empreendedor na direção das coisas públicas, inaugurando a era constitucional do Brasil e Portugal, com as suas valorosas iniciativas. São de lamentar os seus transviamentos amorosos e a tragédia da sua vida conjugal, quando a seu lado tinha uma nobre mulher, cujas renúncias e dedicações se elevavam ao heroísmo supremo; mas, nos instantes em que seu coração se tocava das ideias generosas, criando-lhe no íntimo um estado receptivo propício às inspirações do mundo invisível, as falanges de Ismael aproveitavam o minuto psicológico para auxiliá-lo na tarefa de consolidação da liberdade da Pátria do Evangelho. Foi assim que muitos decretos saíram de suas mãos, objetivando, inegavelmente, a tranquilidade geral.

Como dizíamos, a sua resolução extrema de dissolver a Assembleia e exilar os Andradas cavara um abismo entre ele e a opinião pública, intransigentemente apaixonada pela emancipação do país. As lutas isoladas se multiplicavam assustadoramente. No Rio e nas províncias, tudo era um clamor surdo de protestos contra os atos de D. Pedro, que, aliás, não poderia manter outra atitude em face do ambiente confuso do país.

A província de Pernambuco, onde se plantaram, inicialmente, as balizas dos grandes sentimentos da liberdade e da democracia sob a influência de Maurício de Nassau alimentava, mais que nunca, o sentimento de independência e de autonomia. Todas as grandes ideias encontravam, no Recife, o clima apropriado ao seu desenvolvimento e foi justamente aí que as deliberações de D. Pedro feriram mais fundo. A 24 de julho de 1824 estalam, na terra pernambucana, os primeiros movimentos da Confederação do Equador, que se ramificava por toda a região do Norte a proclamar as generosas ideias republicanas. Pais de Andrade coloca-se à frente da ação revolucionária, com o fim de agir contrariamente ao imperador, a quem se atribuía o propósito de reunir as coroas do Brasil e de Portugal, reintegrando-se o primeiro na vida colonial. Mas o governo central providencia energicamente. Lorde Cochrane e Lima e Silva[133] são enviados com urgência para extinguir a insurreição. Em Pernambuco, o futuro marquês do Recife, com todo o seu prestígio entre os lavradores, inicia a defesa do governo imperial e prestigia as tropas enviadas, que sufocam o movimento. Os republicanos são vencidos e presos. Pais de Andrade[134] refugia-se num navio inglês, conseguindo escapar à ação repressiva do Império; mas João Ratcliff[135] e frei Caneca[136] pagam com a vida o sonho republicano. Executados militarmente, são eles o doloroso exemplo para os companheiros. Ambos iam, porém, associar-se aos trabalhos do Infinito, sob a direção de Ismael, cuja misericórdia alentava as energias da pátria brasileira.

Não terminaram, com o desaparecimento da Confederação do Equador, as agitações intestinas. Os reinóis, espalhados por todos os recantos do país, esperavam um golpe de unificação das duas pátrias, sonhando com o regresso à vida colonial, em benefício dos seus interesses econômicos. Os brasileiros, todavia, entravam em luta com os portugueses, constituindo esses movimentos uma ameaça constante à paz coletiva, durante vários anos.

O mundo invisível, porém, atua de maneira sensível entre os gabinetes políticos, para que a província Cisplatina fosse reintegrada em sua liberdade, após a anexação indébita, levada a efeito pelas forças armadas de D. João VI, em 1821, por inspiração de D. Carlota Joaquina. A imposição para submetê-la era francamente impopular, porquanto, desde o início da civilização brasileira, os

---

[133] N.E.: Luís Alves de Lima e Silva (1803-1880), Duque de Caxias; um dos mais importantes militares e estadistas da história do Império do Brasil.
[134] N.E.: Manuel de Carvalho Pais de Andrade (1780-1855), político e revolucionário brasileiro.
[135] N.E.: João Guilherme Ratcliff (1776-1825), revolucionário brasileiro.
[136] N.E.: Joaquim do Amor Divino Rabelo (1779-1825), religioso, político, jornalista e revolucionário brasileiro.

mensageiros de Jesus difundiram o mais largo conceito de fraternidade dentro da Pátria do Cruzeiro, onde todo o povo guarda a tradição da solidariedade e da autonomia. A realidade é que Ismael triunfa sempre. Apesar das primeiras vitórias das armas brasileiras, a província Cisplatina, que não era produto elaborado pela Pátria do Evangelho nem fruto de trabalho dos portugueses, se separava definitivamente do coração geográfico do mundo, graças à mediação pacífica da Inglaterra, para formar o território que veio a constituir a República Oriental do Uruguai.

Enquanto se desenrolavam esses acontecimentos, a opinião pública do Brasil não abandonava a crítica a todos os atos e deliberações do imperador. D. Pedro, senhor da psicologia dos tempos novos, não ignorava quanta decisão reclamavam os afazeres penosos do governo. Seus ministérios, no Rio de Janeiro, se organizavam para se desfazerem em curtos períodos de tempo. O país andava agitado e apreensivo, temendo-lhe as resoluções e espreitando-lhe os menores gestos. As suas aventuras amorosas eram perfidamente comentadas pelas anedotas da malícia carioca. O povo, conhecendo alguma coisa da sua conduta particular, se encarregou de elaborar a maior parte de todas as histórias ridículas a cerca da sua personalidade, que, se rude e sensual, não era diferente da generalidade dos homens da época e tinha, não raras vezes, rasgos generosos, que alcançavam os mais altos cumes do sentimento.

A imprensa instituída pelo conde de Linhares, em 1808, sob a proteção de D. João VI, no casarão da rua do Passeio, não o abandonou, transformando-se em sentinela dos seus menores pensamentos.

O imperador era acusado de proteger, criminosamente, os interesses portugueses, a despeito das suas ações em contrário.

Muitas vezes, em momentos de meditação, no Paço de São Cristóvão, já ao tempo de suas segundas núpcias, deixava vagar o espírito pelo mundo rico das suas experiências, acerca dos homens e da vida, para reconhecer que todo aquele ódio gratuito lhe advinha da condição de português nato. O Brasil era reconhecido ao seu feito, no que se referia à independência política, mas não tolerava a origem do seu imperador, em se tratando dos problemas da sua autonomia.

Dias após as "noites das garrafadas", em que os partidos políticos se engalfinharam na praça pública, de 12 a 14 de março de 1831, D. Pedro compareceu a um te-déum na Igreja de São Francisco, sendo recebido, depois da cerimônia religiosa, pelo povo que o rodeou, com algumas demonstrações de desagrado. Para aplacar os ânimos exaltados do partidarismo, D. Pedro organiza novo ministério, todo composto de homens de sua absoluta confiança. O povo, entretanto, divisando dentro do novo gabinete ministerial somente os que ele considerava os palacianos de São Cristóvão, reuniu-se no Campo de Santana, capitaneado[137] por demagogos e, em poucos minutos, a revolução se alastrava pela cidade inteira. Deputações populares são enviadas ao imperador, que as recebe com serenidade e indiferença. Entre os revoltosos estão os seus melhores amigos. Os senhores da situação eram os mesmos a quem o imperador havia amparado na véspera. O próprio Exército, que organizara com imenso desvelo, se voltava contra ele naquela noite memorável. D. Pedro, depois de ouvir, à meia-noite, as explicações do major Miguel de Frias,[138] que viera a palácio em busca da sua decisão quanto às exigências do povo, que lhe impunha o antigo ministério, mandou chamar o chefe da guarda do regimento de artilharia, aquartelado em São Cristóvão, e lhe ordenou, com serena nobreza, que se reunisse com os seus homens às tropas revoltadas, acrescentando generosamente:

— Não quero que ninguém se sacrifique por minha causa.

---

[137] N.E.: Dirigido, governado.
[138] N.E.: Miguel de Frias e Vasconcelos (1805–1859), militar, engenheiro e político brasileiro.

Depois da meia-noite, preferiu ficar só, na quietude do seu gabinete. Ali, atentou no patrimônio das suas experiências. Através do silêncio e da sombra, a voz de seu pai, já na vida livre dos espaços, lhe falava brandamente ao coração. Os mensageiros de Ismael auxiliam-lhe o cérebro esgotado na solução do grande problema e, às duas horas da madrugada de 7 de abril de 1831, sem ouvir sequer os seus ministros e conselheiros, abdicava na pessoa do filho, D. Pedro de Alcântara, que contava então cinco anos, e ficaria sob a esclarecida tutela de José Bonifácio.

De manhã, já o ex-imperador do Brasil, com sua família, estava a bordo da nau[139] inglesa *Warspite*, de onde se transferiu à *Volage* para, através dos oceanos, ser conduzido aos mesmos triunfos da generosa ideia de liberdade.

---

[139] N.E.: Navio de grande porte.

~ 22 ~
# Bezerra de Menezes

O século XIX, que surgira com as últimas agitações provocadas no mundo pela Revolução Francesa, estava destinado a presenciar extraordinários acontecimentos.

No seu transcurso, cumprir-se-ia a promessa de Jesus, que, segundo os ensinamentos do seu Evangelho, derramaria as claridades divinas do seu coração sobre toda a carne, para que o Consolador reorganizasse as energias das criaturas, a caminho das profundas transições do século XX.

Mal haviam terminado as atividades bélicas da triste missão de Bonaparte e já o espaço se movimentava, no sentido de renovar os surtos de progresso das coletividades. Assembleias espirituais, reunindo os gênios inspiradores de todas as pátrias do orbe, eram levadas a efeito, nas luzes do Infinito, para a designação de missionários das novas revelações. Em uma de tais assembleias, presidida pelo coração misericordioso e augusto do Cordeiro, fora destacado um dos grandes discípulos do Senhor, para vir à Terra com a tarefa de organizar e compilar ensinamentos que seriam revelados, oferecendo um método de observação a todos os estudiosos do tempo. Foi assim que Allan Kardec, a 3 de outubro de 1804, via a luz da atmosfera terrestre, na cidade de Lyon. Segundo os planos de trabalho do mundo invisível, o grande missionário, no seu maravilhoso esforço de síntese, contaria com a cooperação de uma plêiade de auxiliares da sua obra, designados particularmente para coadjuvá-lo, nas individualidades de João Batista Roustaing, que organizaria o trabalho da fé; de Léon Denis, que efetuaria o desdobramento filosófico; de Gabriel Delanne, que apresentaria a estrada científica, e de Camille Flammarion, que abriria a cortina dos mundos, desenhando as maravilhas das paisagens celestes, cooperando assim na Codificação kardequiana no Velho Mundo e dilatando-a com os necessários complementos.

Ia resplandecer a suave luz do Espiritismo, depois de certificado o Senhor da defecção espiritual das igrejas mercenárias, que falavam no globo em seu nome.

Todas as falanges do Infinito se preparam para a jornada gloriosa.

As abnegadas coortes de Ismael trazem as suas inspirações para as grandes cidades do país do Cruzeiro, conseguindo interessar indiretamente grande número de estudiosos.

As primeiras experiências espiritistas, na Pátria do Evangelho, começaram pelo problema das curas. Em 1818, já o Brasil possuía um grande círculo homeopático, sob a direção do mundo invisível. O próprio José Bonifácio se correspondia com Friedrich Hahnemann.[140] Nos tempos do Segundo Reinado, os mentores invisíveis conseguem criar, na Bahia, no Pará e no Rio de Janeiro, alguns grupos particulares, que projetavam enormes claridades no movimento neoespiritualista do continente, talvez o primeiro da América do Sul.

---

[140] N.E.: Christian Friedrich Samuel Hahnemann (1755–1843), médico alemão, fundador da homeopatia.

Antes dessa época, quando prestes a findar o Primeiro Reinado, Ismael reúne no Espaço os seus dedicados companheiros de luta e, organizada a venerável assembleia, o grande mensageiro do Senhor esclarece a todos sobre os seus elevados objetivos.

— Irmãos — expôs ele —, o século atual, como sabeis, vai ser assinalado pelo advento do Consolador à face da Terra. Nestes cem anos se efetuarão os grandes movimentos preparatórios dos outros cem anos que hão de vir. As rajadas de morticínio e de dor avassalarão a alma da Humanidade, no século próximo, dentro dos imperativos das transições necessárias, que serão o sinal do fim da civilização precária do Ocidente. Faz-se mister amparemos o coração atormentado dos homens nessas grandes amarguras, preparando-lhes o caminho da purificação espiritual, através das sendas penosas. É preciso, pois, preparemos o terreno para a sua estabilidade moral nesses instantes decisivos dos seus destinos. Numerosas fileiras de missionários encontram-se disseminadas entre as nações da Terra, com o fim de levantar a palavra da Boa-Nova do Senhor, esclarecendo os postulados científicos que surgirão neste século, nos círculos da cultura terrestre. Uma verdadeira renascença das filosofias e das ciências se verificará no transcurso destes anos, a fim de que o século XX seja devidamente esclarecido, como elemento de ligação entre a civilização em vias de desaparecer e a civilização do futuro, que assentará na fraternidade e na justiça, porque a morte do mundo, prevista na Lei e nos profetas, não se verificará por enquanto, com referência à constituição física do globo, mas quanto às suas expressões morais, sociais e políticas. A civilização armada terá de perecer para que os homens se amem como irmãos. Concentraremos, agora, os nossos esforços na Terra do Evangelho, para que possamos plantar no coração de seus filhos as sementes benditas que, mais tarde, frutificarão no solo abençoado do Cruzeiro. Se as verdades novas devem surgir primeiramente, segundo os imperativos da Lei natural, nos centros culturais do Velho Mundo, é na Pátria do Evangelho que lhes vamos dar vida, aplicando-as na edificação dos monumentos triunfais do Salvador. Alguns dos nossos auxiliares já se encontram na Terra, esperando o toque de reunir de nossas falanges de trabalhadores devotados, sob a direção compassiva e misericordiosa do divino Mestre.

Houve na alocução de Ismael uma breve pausa.

Depois, encaminhando-se para um dos dedicados e fiéis discípulos, falou-lhe assim:

— Descerás às lutas terrestres com o objetivo de concentrar as nossas energias no país do Cruzeiro, dirigindo-as para o alvo sagrado dos nossos esforços. Arregimentarás todos os elementos dispersos, com as dedicações do teu Espírito, a fim de que possamos criar o nosso núcleo de atividades espirituais, dentro dos elevados propósitos de reforma e regeneração. Não precisamos encarecer aos teus olhos a delicadeza dessa missão; mas, com a plena observância do código de Jesus e com a nossa assistência espiritual, pulverizarás todos os obstáculos, à força de perseverança e de humildade, consolidando os primórdios de nossa obra, que é a de Jesus, no seio da pátria do seu Evangelho. Se a luta vai ser grande, considera que não será menor a compensação do Senhor, que é o Caminho, a Verdade e a Vida.

Havia em toda a assembleia espiritual um divino silêncio. O discípulo escolhido nada pudera responder, com o coração palpitante de doces e esperançosas emoções, mas as lágrimas de reconhecimento lhe caíam copiosamente dos olhos.

Ismael desfraldara a sua bandeira à luz gloriosa do Infinito, salientando-se a sua inscrição divina, que parecia constituir-se de sóis infinitésimos. Uma vibração de esperança e de fé fazia pulsar todos os corações, quando uma voz, terna e compassiva, exclamou das cúpulas radiosas do Ilimitado:

— Glória a Deus nas alturas e paz na Terra aos trabalhadores de boa vontade!

Brasil, coração do mundo, pátria do Evangelho

  Relâmpagos de luminosidade estranha e misericordiosa clareavam o pensamento de quantos assistiam ao maravilhoso espetáculo, enquanto uma chuva de aromas inundava a atmosfera de perfumes balsâmicos e suavíssimos.

  Sob aquela bênção maravilhosa, a grande assembleia dos operários do bem se dissolveu.

  Daí a algum tempo, no dia 29 de agosto de 1831, em Riacho do Sangue, no estado do Ceará, nascia Adolfo Bezerra de Menezes,[141] o grande discípulo de Ismael, que vinha cumprir no Brasil uma elevada missão.

---

[141] N.E.: Adolfo Bezerra de Menezes Cavalcanti (1831–1900), médico, militar, escritor, jornalista e político brasileiro.

~ 23 ~
A obra de Ismael

O grande movimento preparatório do Espiritismo em todo o mundo tinha, no Brasil, a sua repercussão, como era natural. Por volta de 1840, ao influxo das falanges de Ismael, chegavam dois médicos humanitários ao Brasil. Eram Bento Mure[142] e Vicente Martins,[143] que fariam da Medicina homeopática verdadeiro apostolado. Muito antes da Codificação kardequiana, conheciam ambos os transes mediúnicos e o elevado alcance da aplicação do magnetismo espiritual. Introduziram vários serviços de beneficência no Brasil e traziam por lema, dentro da sua maravilhosa intuição, a mesma inscrição divina da bandeira de Ismael — "Deus, Cristo e Caridade". Indescritível foi o devotamento de ambos à coletividade brasileira, à qual se haviam incorporado, sob os altos desígnios do Mundo Espiritual.

---

[142] N.E.: Benoît Jules Mure (1809-1858), considerado um dos introdutores e grande incentivador da homeopatia no Brasil, onde também é referido como Bento Mure.

[143] N.E.: João Vicente Martins (1808-1854), médico e um dos maiores divulgadores da homeopatia no Brasil.

Nas suas luminosas pegadas, seguiram, mais tarde, outros pioneiros da Homeopatia e do Espiritismo, na Pátria do Evangelho. Foram eles, os médicos homeopatas, que iniciaram aqui os passes magnéticos, como imediato auxílio das curas. Hahnemann conhecia a fonte infinita de recursos do magnetismo espiritual e recomendava esses processos psicoterápicos aos seus seguidores.

Os primeiros fenômenos de Hydesville,[144] na América do Norte, em 1848, não passaram despercebidos à corte do Segundo Reinado. A febre de experimentações que se lhes seguiu, nas grandes cidades europeias, incendiou, igualmente, no Rio de Janeiro, alguns cérebros mais destacados no meio social. Em 1853, a cidade já possuía um pequeno grupo de estudiosos, entre os quais se podia notar a presença do marquês de Olinda e do visconde de Uberaba. Em Salvador, esses núcleos de experimentação também existiam, em idênticas circunstâncias. Em 1860 surgem as primeiras publicações espiritistas. Em 1865, o Dr. Luís Olímpio Teles de Menezes,[145] com alguns colegas, replicava pelo *Diário da Bahia* a um artigo algo irônico de um cientista francês, desfavorável ao Espiritismo, publicado na *Gazette Médicale* e transcrito no jornal referido. As publicações brasileiras não passaram despercebidas ao próprio Allan Kardec, que delas teve conhecimento, com a mais justa satisfação íntima.

A Doutrina seguia marcha vitoriosa, por dentro de todos os ambientes cultos da Europa e da América, quando o grande Codificador se desprendeu dos laços que o retinham à vida material, em 1869. Justamente nesse ano surgira o primeiro periódico espírita brasileiro — *O Eco d'Além-túmulo*. O desaparecimento do mestre deixara algo desorientado no campo geral da Doutrina em organização. Em Paris, como nos grandes centros mundiais,

---

[144] N.E.: Refere-se aos fenômenos mediúnicos ocorridos na casa das irmãs Fox, situada em Hydesville, vilarejo próximo da cidade de Rochester.

[145] N.E.: Jornalista brasileiro (1825–1893); considerado como um dos pioneiros do Espiritismo no país.

quiseram inutilmente substituir-lhe a autoridade. As falanges de Ismael estavam vigilantes.

Sugeriram aos espiritistas brasileiros a necessidade de criar, no Rio, um núcleo central das atividades, que ficasse como o órgão orientador de todos os movimentos da Doutrina no Brasil. Um dos emissários de Ismael, que dispunha de maiores elementos no terreno das afinidades mediúnicas, para se comunicar nos grupos particulares organizados na cidade, adotou o pseudônimo de Confúcio, sob o qual transmitia instrutivas mensagens e valiosos ensinamentos. Em 1873 fundava-se, com estatutos impressos e demais formalidades exigidas, o "Grupo Confúcio", que constituiria a base da obra tangível e determinada de Ismael, na terra brasileira. Por esse grupo passaram, na época, todos os simpatizantes da Doutrina e, se efêmera foi a sua existência como sociedade organizada, memoráveis foram os seus trabalhos, aos quais compareceu pessoalmente o próprio Ismael, pela primeira vez, esclarecendo os grandes objetivos da sua elevada missão no País do Cruzeiro.

Nem todos os espiritistas modernos conhecem o fecundo labor daqueles humildes arroteadores dos terrenos inférteis da sociedade humana. A realidade é que eles lutaram denodadamente contra a opinião hostil do tempo, contra o anátema,[146] o insulto e o ridículo e, sobretudo, contra as ondas reacionárias das trevas do mundo invisível, para levantarem bem alto a bandeira de Ismael, como manancial de luz para todos os Espíritos e de conforto para todos os corações. As entidades da sombra trouxeram a obra ingrata da oposição ao trabalho produtivo da edificação evangélica no Brasil. Bem sabemos que, assim como Aquiles possuía um ponto vulnerável no seu calcanhar, o homem em si, pela sua vaidade e fraqueza, também tem um ponto vulnerável em todos os escaninhos da sua personalidade

---

[146] N.E.: Sentença de maldição que expulsa da Igreja; excomunhão; reprovação enérgica; condenação, repreensão, maldição, execração.

espiritual, e os seres das trevas, se não conseguiram vencer totalmente os trabalhadores, conseguiram desuni-los no plano dos seus serviços à grande causa. O "Grupo Confúcio" teve uma existência de três anos rápidos.

Os mensageiros de Ismael, triunfando da discórdia que destruía o grande núcleo nascente, fundavam sobre ele, em 1876, a "Sociedade de Estudos Espíritas Deus, Cristo e Caridade", sob a direção esclarecida de Francisco Leite de Bittencourt Sampaio,[147] grande discípulo do emissário de Jesus, que, juntamente com Bezerra, tivera a sua tarefa previamente determinada no Alto. A ele se reuniu Antônio Luiz Sayão,[148] em 1878, para as grandes vitórias do Evangelho nas terras do Cruzeiro. O trabalho maléfico das trevas, no plano invisível, é arrojado e perseverante.

No seio desse redil de almas humildes e simples, esclarecidas à luz dos princípios cristãos, onde militavam espíritas lúcidos e sábios como Bittencourt Sampaio, que abandonara os fulgores enganosos da sua elevada posição na Literatura e na Política para se apegar às claridades do ideal cristão, as entidades tenebrosas conseguem encontrar um médium, pronto para a dolorosa tarefa de fomentar a desarmonia e, estabelecida de novo a discórdia, os mensageiros de Ismael reorganizam as energias existentes, para fundarem, em 1880, o "Grupo Espírita Fraternidade", com a qual se carregava em triunfo o bendito lema do suave estandarte do emissário do divino Mestre. Em 1883, Augusto Elias da Silva,[149] na sua posição humilde, lançava o *Reformador*, coadjuvado por alguns companheiros e com o apoio das hostes invisíveis. As mesmas reuniões do grupo humilde de Antônio Sayão

---

[147] N.E.: Francisco Leite de Bittencourt Sampaio (1834–1895), advogado, poeta, jornalista, político brasileiro.

[148] N.E.: Escritor, jornalista, pregador (1829–1903), dedicado à assistência aos necessitados, além de destemido propagador da Doutrina Espírita.

[149] N.E.: Fotógrafo português radicado no Rio de Janeiro, pioneiro do Espiritismo no Brasil (1848–1903).

e Bittencourt Sampaio continuam. Uma plêiade de médiuns curadores, notáveis pela abnegação, iniciam, no Rio, o seu penoso apostolado. Elias da Silva e seus companheiros notam, entretanto, que a situação se ia tornando difícil com as polêmicas esterilizadoras. A esse tempo, os emissários do Alto prescrevem categoricamente aos seus camaradas do mundo tangível:

— Chamem agora Bezerra de Menezes ao seu apostolado!

Elias bate, então, à porta generosa do mestre venerável, o que não era preciso, porque seu grande coração já se encontrava a postos, no sagrado serviço da seara de Jesus, na face da Terra.

Bezerra de Menezes traz consigo a palma da harmonia, serenando todos os conflitos. Estabelece a prudência e a discrição entre os temperamentos mais veementes e combativos.

A obra de Ismael, no que se referia às luzes sublimes do Consolador, estava definitivamente instalada na Pátria do Cruzeiro, apesar da precariedade do concurso dos homens. As divergências foram atenuadas, para que a tranquilidade voltasse a todos os centros de experimentação e de estudo. Os operários espalhavam-se pelo Rio, cada qual com a sua ferramenta, dentro do grande plano da unificação e da paz, nos ambientes da Doutrina, plano esse que eles conseguiram relativamente realizar, mais tarde, organizando o aparelho central de suas diretrizes, que se consolidaria com a Federação Espírita Brasileira, onde seria localizada a sede diretora, no plano tangível, dos trabalhos da obra de Ismael no Brasil.

～ 24 ～
A Regência e o Segundo Reinado

Ninguém, no Brasil, poderia supor que D. Pedro I abandonasse o país precipitadamente, como fez a 7 de abril de 1831. As forças conservadoras desejavam somente que ele regenerasse o seu ambiente, afastando-se de determinadas influências políticas. O resultado da inesperada abdicação foi a desordem, que se propagou a todos os recantos, provocando descontentamentos e sedições.

Alguns políticos, no entanto, obedecendo a feliz inspiração do mundo invisível, organizaram uma regência que se incumbiu de manter a intangibilidade da ordem e das instituições.

Essa regência interina, com imensos sacrifícios, iniciou o seu trabalho de pacificação na Bahia, em Minas e em Pernambuco, onde inúmeros portugueses eram assassinados, sob o pretexto de antigas desforras dos movimentos nativistas. Os distúrbios militares proliferavam em toda parte, exigindo a mais alta cota de sacrifícios e dedicações dos verdadeiros patriotas.

O Exército, desde os acontecimentos de 7 de abril, caracterizava as suas atitudes pela revolta e pela indisciplina. O norte do país vivia sob o regime do sangue e da morte. O povo de Pernambuco, humilhado pelas incursões da soldadesca amotinada, que lhe feriam os brios e as tradições, veio a campo, travando-se os mais fortes combates, em que pereceram, ou foram presos, muitas centenas de indisciplinados. Esses protestos e esses exemplos, todavia, não conseguiram eliminar a luta persistente e pavorosa. A guerra civil continuou, anos a fio, à sombra das matas, estendendo-se ao Pará com o seu rastilho de miséria e de sangue. Muitos governadores foram barbaramente trucidados pela caravana sinistra da confusão e da desordem. Jamais, a Pátria do Evangelho atravessara tão perigosa situação, sob o ponto de vista social e político. O partidarismo envenenava todos os ambientes com a vasa de suas paixões desenfreadas e, não fossem os mananciais do pensamento e da economia, fixados por Ismael nas regiões do Rio de Janeiro, de São Paulo e Minas, que asseguraram a própria estabilidade nacional, talvez não pudesse o Brasil resistir ao elemento embrutecedor, que suprimiria para sempre a sua unidade territorial.

Depois de quatro anos de experimentações e lutas incessantes, a regência é entregue a um dos homens mais enérgicos e prudentes da época, o eclesiástico Diogo Antônio Feijó,[150] que iniciou a sua obra de honestidade e de civismo, sob a direção das falanges esclarecidas do Infinito. O grande paulista, porém, não conseguiu permanecer muito tempo à frente do governo. Em 1835 rebentava o movimento republicano do Rio Grande do Sul, chefiado por Bento Gonçalves,[151] que se propunha organizar, naquela província, uma república separada do país. Esse movimento separatista iria consumir grande coeficiente das energias

---

[150] N.E.: Sacerdote católico e estadista brasileiro (1784–1843).
[151] N.E.: Bento Gonçalves da Silva (1788–1847), militar, maçom e revolucionário brasileiro, e um dos líderes da Revolução Farroupilha.

nacionais, porquanto só terminaria mais tarde sob a ação pacificadora do Segundo Reinado.

Em 1836 funda-se o Partido Conservador, com a aliança dos liberais e dos restauradores, caminhando a nação para o parlamentarismo. Feijó, porém, não se resignou com as providências levadas a efeito. A seu ver, não era possível governar, eficientemente, dentro de um regime que se lhe afigurava de excessiva liberdade. Renunciou nobremente ao cargo, chamando ao poder Araújo Lima, que era nesse tempo a autoridade suprema das forças oposicionistas.

Então, a imprensa brasileira já não contava com a palavra de concórdia e conciliação de Evaristo da Veiga,[152] que, depois de cumprir sua tarefa no país do Cruzeiro, regressara à pátria universal, incorporando-se às hostes esclarecidas do Infinito. A imprensa, hoje considerada como o sexto sentido dos povos e que, naqueles tempos, mal ensaiava os primeiros passos no Brasil, não podia, portanto, ser o órgão de esclarecimento geral da nação, e a luta prosseguiu, ensanguentando o país, ao longo de todas as suas fronteiras.

A fusão dos objetivos de liberais e conservadores constituiu a base da opinião livre, que embelezou o regime parlamentar no Segundo Reinado, estruturando-se a Câmara sob o modelo das praxes e dos costumes ingleses.

Percebendo, contudo, a exaltação dos espíritos em geral, os liberais solicitaram, em 1840, a declaração da maioridade do imperador, que, na época, contava quinze anos incompletos. Semelhante acontecimento representava um golpe nos dispositivos constitucionais; porém, todos os políticos reconheciam no jovem imperante a mais elevada madureza de raciocínio e as qualidades que lhe exornavam o caráter. Uma comissão de homens influentes procura-o no Paço Imperial, obtendo o seu imediato assentimento.

---

[152] N.E.: Evaristo Ferreira da Veiga (1799–1837), jornalista e político brasileiro.

Dentro de poucos dias, foi D. Pedro II declarado maior, por entre as mais sãs esperanças do país e sob a confiança dos mentores do Alto, os quais seguiriam de perto a sua trajetória no trono.

A regência ficava assinalada no tempo, como uma das mais belas escolas de honradez e de energia do povo brasileiro. Vivendo numa atmosfera de franca antipatia popular, pelas medidas de repressão que lhe cumpria executar; flutuando, como instrumento de conciliação, entre as marés bravias do separatismo no Sul, os vagalhões impetuosos da opinião partidária nas cidades centrais e as ondas tumultuárias das lutas ao Norte, todos aqueles homens que passaram pela regência foram compelidos aos mais elevados atos de renúncia pelo bem coletivo, praticando com isso verdadeiro heroísmo, a fim de que se conservasse intacto, para as gerações do futuro, o patrimônio territorial e a escola das instituições, na objetivação luminosa da civilização do Evangelho, sob a luz cariciosa do Cruzeiro.

No ano de 1841, foi coroado o jovem imperador.

Não obstante a sua condição de adolescente, D. Pedro II, assistido pelas numerosas legiões do bem, que o rodeavam no plano invisível, tomava o cetro e a coroa consciente da responsabilidade gravíssima que lhe pesava sobre os ombros.

A sua primeira preocupação administrativa foi pacificar o ambiente intoxicado de sedições e rebeldias. Prestigiando Caxias, consegue levantar a bandeira branca da paz nas províncias de São Paulo e Minas, após os desfechos de Venda Grande e de Santa Luzia. Daí a algum tempo, com a sua política de moderação e tolerância, consegue estabelecer a tranquilidade geral em todo o Rio Grande do Sul, com a anistia plena e com o respeito às honras militares de todos os chefes da insurreição.

Depois dos esgotamentos a que o país inteiro fora conduzido pela ação corrosiva dos processos revolucionários, o Brasil ia regenerar suas forças orgânicas dentro de um largo período de paz, no qual as falanges esclarecidas de Ismael, inspirando a generosa autoridade do imperador, argamassariam as bases do pensamento republicano, sobre as ideias de fraternidade e liberdade, a caminho das grandes realizações do porvir.

~ 25 ~
A Guerra do Paraguai

O Segundo Reinado, depois das angustiosas expectativas do período revolucionário, atravessava uma época de paz, em que se consolidavam as suas conquistas no terreno da ordem e da liberdade. D. Pedro II, à medida que ia ampliando o patrimônio das suas experiências em contato com a vida e com os homens, amadurecia, cada vez mais, as belas qualidades do seu coração e da sua inteligência. Suas virtudes morais granjearam para a sua personalidade mais que a simpatia popular, pois o generoso imperador, de cuja dotação se beneficiavam tantos pobres e se educavam inúmeros estudiosos sem recursos, vivia aureolado pela veneração carinhosa das multidões. Dado à Arte e à Filosofia, sua notoriedade, nesse sentido, alcançou os próprios ambientes da cultura europeia, onde seu nome se impunha à admiração de todos os pensadores do século. No problema constitucional, todavia, o imperador muitas vezes se abstraía dos textos legais para consultar os interesses gerais da nação, norteando-se muito mais pela imprensa que pela opinião pessoal dos seus ministros, o que desgostava profundamente os políticos da época, que encaravam essas atitudes como impertinências do monarca republicano da América, afigurando-se-lhes que ele se deixava atrair pelas resoluções ilegais. A verdade, contudo, é que o Brasil nunca atravessou um período de tamanha liberdade de opinião. Somente as nacionalidades de origem saxônia gozavam, a esse tempo, no planeta, da mesma independência e das mesmas liberdades públicas. Numerosas conquistas, nesse particular, se consolidaram sob a administração do imperador generoso e liberalíssimo. Em 1850 iniciava-se a plena supressão do tráfico negro, realizando-se a Abolição, por etapas altamente significativas. Em 1843, D. Pedro II desposara D. Teresa Cristina Maria, princesa das Duas Sicílias, que viria partilhar com ele, no sagrado instituto da família, da mesma abnegação e amor pelo bem do Brasil.

No mundo invisível, as falanges de Ismael não se descuravam da Pátria do Evangelho, enviando para a administração do Segundo Reinado os elevados Espíritos que seriam colaboradores do grande imperador na solução dos relevantes problemas da Abolição, da economia e da liberdade. Foi assim que, naquela época de organização da pátria, apareceram homens e artistas extraordinários, como Rio Branco e Mauá, Castro Alves e Pedro Américo, que vinham com elevada missão ideológica, nos quadros da evolução política e social da Pátria do Cruzeiro.

O homem, porém, terá de constituir o patrimônio do seu progresso e iluminar o caminho da sua redenção à custa dos próprios esforços e sacrifícios, na senda pedregosa da experiência individual. Ora, em meio dessas lutas, o poder moderador da Coroa não conseguiu eliminar certo fundo de vaidade, que se foi estratificando na alma nacional, fazendo-lhe sentir a sua supremacia sobre as demais nações americanas do Sul. Dentro dessas ideias perigosas da vaidade coletiva, sentia-se o Brasil, erradamente, com o direito de interferir nos negócios dos Estados vizinhos, em benefício dos nossos interesses. É verdade que os países de colonização espanhola sempre tratavam o Brasil com mal disfarçada hostilidade, desejando reviver no Novo Mundo os antagonismos raciais da velha península; não competia, porém, à política brasileira exorbitar das suas funções, no intuito de assumir a direção da casa dos seus vizinhos.

De 1849 a 1852, o Brasil interferiu nas questões da Argentina e do Uruguai, contra a influência de Rosas e Oribe.[153] O caudilho Ortiz de Rosas trazia a civilização platina sob um regime de crueldade e tirania; diversas vezes provocara o Brasil com o seu ânimo despótico, que chegou a fazer no Prata mais de vinte mil vítimas e, irrefletidamente, o Império prestigiou a Urquiza,[154] outro caudilho, que governava Entre Rios,[155] a fim de eliminar o tirano. Pela influência dos seus militares mais dignos, as tropas brasileiras depuseram Oribe e, no combate de Monte Caseros,[156] destruíram para sempre a influência do déspota, que humilhava Buenos Aires. Enquanto as bandeiras do Brasil regressam triunfantes com o conde de Porto Alegre e o povo festeja a vitória das suas armas, os países da América do Sul olham desconfiadamente para a supremacia arrogante da política brasileira, no propósito de se colocarem a salvo das suas indébitas intervenções.

Após uma das festas que comemoravam os acontecimentos, D. Pedro II se retira silenciosamente para o recanto do seu oratório particular. Com o espírito em prece, contempla o Crucificado, cuja imagem parece fitá-lo cheia de piedade e doçura. Nas asas brandas do sono, o grande imperador é, então, conduzido a uma esfera de beleza esplêndida e inenarrável.

---

[153] N.E.: Episódio numa longa disputa entre Argentina e Brasil pela influência no Uruguai e hegemonia na região do Rio da Prata.
[154] N.E.: Justo José Urquiza (1801-1870), militar e político argentino.
[155] N.E.: Província da Argentina.
[156] N.E.: Também chamada de Batalha de Caseros, foi uma das batalhas da Guerra contra Oribe e Rosas (1851-1852).

Parece-lhe conhecer as disposições particulares daquele sítio de doces encantamentos. Aos seus olhos atônitos surge, então, o divino Mestre, que lhe fala como nos maravilhosos dias da Ressurreição, após os martírios indizíveis do Calvário, assinalando as suas palavras com sublime brandura:

— Pedro, guarda a tua espada na bainha, pois quem com ferro fere com ferro será ferido. A tua indecisão e a tua incerteza lançaram a Pátria do Evangelho numa sinistra aventura. As nações, como os indivíduos, têm a sua missão determinada e não é justo sejam coagidas no terreno das suas liberdades. O lamentável precedente da invasão efetuada pelo Brasil no Uruguai terá dolorosa repercussão para a sua vida política. Não descanses sobre os louros da vitória, porque o céu está cheio de nuvens e deves fortificar o coração para as tempestades amargas que hão de vir. Auxiliarei a tua ação, através dos mensageiros de Ismael, que se conservam vigilantes no desenvolvimento dos trabalhos sob a tua responsabilidade no país do Cruzeiro; mas que as tristes provações gerais, em perspectiva, sejam guardadas como lição inesquecível e como roteiro de experiência proveitosa para as tuas atividades no trono.

D. Pedro II, depois daquele sono curto, na intimidade do oratório, sono preparado pelas forças invisíveis que o rodeavam, recolheu-se ao leito, cheio de angústia e de ansiosa expectativa.

Os anos não tardaram a confirmar as advertências do Senhor, que é a luz misericordiosa do mundo. Em 1865, quando o Brasil procurava interferir novamente nos negócios do Uruguai, impondo a sua vontade em Montevidéu, o Paraguai se sentiu ameaçado na sua segurança e se declarou contra o Brasil, ferindo-se então a guerra que durou cinco longos anos de martírios e derrames de sangue fraterno.

O Paraguai, como os outros países vizinhos, vivia reduzido à condição de feudo militar. A lei marcial imperava ali sistematicamente e Solano Lopez não receou arrastar o seu povo àquela terrível aventura. Sua personalidade, como político, não era inferior à dos caudilhos do tempo e grandes valores poderiam ser incorporados às suas tradições de chefe, muitas vezes apresentado como tirano cheio de crueldades nefandas, se os frequentes desastres das armas paraguaias e os triunfos do Brasil não acabassem por desorientá-lo inteiramente, levando-o a queimar o último cartucho da sua amargurada desesperação e a perder a posição nobre que a História indubitavelmente lhe reservaria.

Aliando-se aos seus amigos da Argentina e do Uruguai, o Brasil afirmou, com a vitória, a sua soberania. O próprio imperador visitou o campo de operações bélicas em Uruguaiana, onde assistiu à rendição de seis mil inimigos. Os militares brasileiros ilustram o nome da sua terra em gloriosos feitos, que ficaram inesquecíveis. Mas o País do Evangelho sempre foi contrário às glórias sanguinolentas. Estero Belaco, Curupaiti, Lomas Valentinas, Tuiuti, Curuzu, Itororó, Riachuelo e tantos outros teatros de luta e de triunfo, em verdade, não passaram de etapas dolorosas de uma provação coletiva, que o povo brasileiro jamais poderá esquecer.

A realidade, entretanto, é que o Brasil retirou desse patrimônio de experiências os mais altos benefícios para a sua política externa e para a sua vida organizada, sem exigir um vintém dos proventos de suas vitórias. A diplomacia brasileira encarou de mais perto o arbítrio inviolável dos países vizinhos e uma nova tradição de respeito consolidou-se na administração da terra do Cruzeiro. Nunca mais o Brasil praticou uma intervenção indevida, trazendo em testemunho da nossa afirmativa a primorosa organização da nacionalidade argentina que, apesar da inferioridade da sua posição territorial, comparada com a extensão do Brasil, é hoje um dos países mais prósperos e um dos núcleos mais importantes da civilização americana em face do mundo.

… 26 …
O movimento abolicionista

O Brasil prosseguia na sua marcha evolutiva sob a carinhosa direção de D. Pedro II. Estadistas notáveis pelo seu amor à causa pública assistiam o imperador em seus nobres afazeres, caracterizando as suas atitudes e atos com o mais sagrado interesse pelo bem coletivo.

Haviam terminado os movimentos bélicos da guerra com o Paraguai e o país voltava a respirar os ares da esperança. Então, nessa época e nos anos posteriores, todos os Espíritos cultos da pátria se levantaram com desassombro, para amparar o movimento abolicionista.

Os gênios tutelares do Mundo Espiritual inspiravam a todos os políticos e escritores e, se havia fazendeiros constituindo o mais sério sustentáculo da escravidão, dentro das classes conservadoras, inúmeros outros elementos existiam, como no Amazonas e no Ceará, que alforriavam os seus servidores, nos mais belos gestos de filantropia.

As falanges de Ismael contavam colaboradores decididos no movimento libertador, quais Castro Alves,[157] Luís Gama,[158] Rio Branco[159] e Patrocínio.[160] A própria princesa Isabel, cujas tradições de nobreza e bondade jamais serão esquecidas no coração do Brasil, viera ao mundo com a sua tarefa definida no trabalho abençoado da abolição. Os Espíritos em prova no cárcere da carne têm a sua bagagem de sofrimentos expiatórios e depuradores, mas têm igualmente a possibilidade necessária para o cumprimento de deveres meritórios, aos olhos misericordiosos do Altíssimo.

Todos os ânimos se inflamavam ao contato das grandes ideias de liberdade. Publicações e discursos, com a amplitude que a opinião da crítica conquistara nos tempos do Império, exortavam as classes conservadoras ao movimento de emancipação de todos os cativos.

D. Pedro se reconfortava com essas doutrinações das massas, no seu liberalismo e na sua bondade de filósofo. Desejaria antecipar-se ao movimento ideológico, decretando a liberdade plena de todos os escravos, mas os terríveis exemplos da guerra civil que ensanguentara os Estados Unidos da América do Norte durante longos anos, na campanha abolicionista, faziam-no recear a luta das multidões apaixonadas e delinquentes. Foi, pois, com especial agrado, que acompanhou a deliberação de sua filha de sancionar, a 28 de setembro de 1871, a Lei do Ventre Livre, que garantia no Brasil a extinção gradual do cativeiro, mediante processos pacíficos. Seu grande coração, no âmbito das suas impressões divinatórias, sentia que a abolição se faria nos derradeiros

---

[157] N.E.: Antônio Frederico de Castro Alves (1847–1871), poeta brasileiro.

[158] N.E.: Luís Gonzaga Pinto da Gama (1830–1882), escritor e abolicionista brasileiro.

[159] N.E.: José Maria da Silva Paranhos, visconde do Rio Branco (1819–1880), político brasileiro.

[160] N.E.: José Carlos do Patrocínio (1854–1905), jornalista e escritor brasileiro.

anos do seu governo. Com efeito, a Lei do Ventre Livre não bastara aos Espíritos exaltados no sentimento de amor pela abolição completa. Quase todas as energias intelectuais da nação se encontravam mobilizadas a serviço dos escravos sofredores. O ambiente geral era de perspectiva angustiosa e de profundas transições na ordem política. A ideia republicana se consolidava cada vez mais no espírito da nacionalidade inteira. O bondoso imperador nunca lhe cortara os voos prodigiosos no coração das massas populares; aliás, alimentava-os com os seus alevantados exemplos de democracia.

Nos espaços, Ismael e suas falanges procuravam orientar os movimentos republicanos e abolicionistas, com alta serenidade e esclarecida prudência, no propósito de evitar os abomináveis derramamentos de sangue por desvarios fratricidas.

A esse tempo, já Ismael possuía a sua célula construtiva da obra do Evangelho no Brasil, célula que hoje projeta a sua luz de dentro da Federação Espírita Brasileira, e de onde, espiritualmente, junto dos seus companheiros desvelados, procurava unir os homens na grandiosa tarefa da evangelização. Esperando o ensejo de se fixar na instituição venerável, que lhe guarda as tradições e continua o seu santificado labor ao lado das criaturas, a célula referida permanecia com Antônio Luiz Sayão e Bittencourt Sampaio, desde 24 de setembro de 1885, até que Bezerra de Menezes, com os seus grandes sacrifícios e indescritíveis devotamentos, eliminasse as mais sérias divergências e aplainasse obstáculos, utilizando as suas inesgotáveis reservas de paciência e de humildade e consolidando a Federação para que se formasse uma organização federativa. Enquanto, lá fora, muitos companheiros da caravana espiritual se deixavam levar por inovações e experiências estranhas aos preceitos evangélicos, o Grupo Ismael esperava uma época de compreensão mais elevada e harmoniosa para o desdobramento de suas preciosas atividades. Todavia, nas lutas pesadas do mundo, Bezerra de Menezes era o impávido desbravador, no seu apostolado de preparação, fraternizando com todos os grupos para conduzi-los, suavemente, à sombra da bandeira do grande emissário de Jesus.

Ismael trazia então a sua atenção carinhosa voltada para a solução do problema abolicionista, que deveria resolver-se dentro da harmonia de todos os interesses e estreme[161] do sangue das guerras civis. Confiando ao Senhor as suas expectativas, falou-lhe o Mestre:

— Ismael, o sonho da liberdade de todos os cativos deverá concretizar-se agora, sem perda de tempo. Prepararás todos os corações, a fim de que as nuvens sanguinolentas não manchem o solo abençoado da região do Cruzeiro. Todos os emissários celestes deverão conjugar esforços nesse propósito e, em breve, teremos a emancipação de todos os que sofrem os duros trabalhos do cativeiro na terra bendita do Brasil.

O grande enviado redobrou suas atividades nos bastidores da política administrativa.

A estatística oficial de 1887 acusava a existência de mais de setecentos e vinte mil escravos em todo o país. O ambiente geral era de apreensão em todas as classes, ante a expectativa da promulgação da lei que extinguiria a escravidão para sempre, o que constituiria duro golpe na fortuna pública do Brasil. Mas Ismael articula do Alto os elementos necessários à grande vitória. O generoso imperador é afastado do trono, nos primeiros meses de 1888, sob a influência dos mentores invisíveis da pátria, voltando a regência à princesa Isabel, que já havia sancionado a lei benéfica de 1871. Sob a inspiração do grande mensageiro do divino Mestre, a princesa imperial encarrega o senador João Alfredo[162] de organizar novo ministério, que veio a compor-se de Espíritos nobilíssimos do tempo. Os abolicionistas compreendem que lhes chegara a possibilidade maravilhosa e a 13 de maio de 1888 é apresentada à regente a proposta de lei para imediata extinção

---

[161] N.E.: Caracterizado pela não contaminação, pela pureza; puro.

[162] N.E.: João Alfredo Correia de Oliveira (1835–1919), político brasileiro.

do cativeiro, lei que D. Isabel, cercada de entidades angélicas e misericordiosas, sanciona sem hesitar, com a nobre serenidade do seu coração de mulher.

Nesse dia inesquecível, toda uma onda de claridades compassivas descia dos céus sobre as vastidões do norte e do sul da Pátria do Evangelho. Ao Rio de Janeiro afluem multidões de seres invisíveis, que se associam às grandiosas solenidades da Abolição. Junto do espírito magnânimo da princesa, permanece Ismael com a bênção da sua generosa e tocante alegria. Foi por isso que Patrocínio, intuitivamente, no arrebatamento do seu júbilo, se arrastou de joelhos até aos pés da princesa piedosa e cristã. Por toda parte, espalharam-se alegrias contagiosas e comunicativas esperanças. O marco divino da liberdade dos cativos erguia-se na estrada da civilização brasileira, sem a maré incendiária da metralha e do sangue.

Os negros e os mestiços do Brasil sentiram no coração o prodigioso potencial de energias da sub-raça, com que realizariam gloriosos feitos de trabalho e de heroísmo, na formação de todos os patrimônios da Pátria do Evangelho, olhando o caminho infinito do futuro. E, nessa noite, enquanto se entoavam hosanas de amor no Grupo Ismael e a princesa imperial sentia, na sua grande alma, as comoções mais ternas e mais doces, os pobres e os sofredores, recebendo a generosa dádiva do Céu, iam reunir-se, nas asas cariciosas do sono, aos seus companheiros da imensidade, levando às Alturas o preito do seu reconhecimento a Jesus que, com a sua misericórdia infinita, lhes outorgara a carta de alforria, incorporando-se, para sempre, ao organismo social da pátria generosa dos seus sublimes ensinamentos.

~ 27 ~
A República

Se a Monarquia, embora todas as liberdades públicas que desenvolvera, Espíritos avançados do Brasil a consideravam como a derradeira recordação da influência portuguesa, a República era considerada pela comunidade brasileira como a fórmula de governo compatível com a evolução do país e com a posição cultural do seu povo.

Essa ideia, genuinamente nativista, alcançara todas as inteligências, e a garantia do seu êxito se patenteara aos olhos de todos, após a Lei de 13 de maio, que ferira os interesses particulares de todas as classes conservadoras.

Por essa razão os anos de 1888 e 1889 assinalaram os derradeiros tempos do único império das plagas americanas. Por toda parte e em todos os ambientes civis e militares acendiam-se os fachos do idealismo republicano, sob o pálio da generosidade da Coroa.

No mundo invisível, reúne o Senhor as falanges benditas de Ismael e dos seus dedicados colaboradores e, enquanto as luzes tênues douravam o éter da imensidão, que se enfeitava de

luminosas flores dos jardins do Infinito, falou a sua voz, como no crepúsculo admirável do Sermão da Montanha:
— Irmãos, a Pátria do Evangelho atinge agora a sua maioridade coletiva. Profundas transições assinalarão a sua existência social e política. Uma nação que alcança a sua maioridade é a responsável legítima e direta por todos os atos comuns que pratica, no concerto dos povos do planeta. Necessário é separemos agora o organismo político do Brasil dos alvitres permanentes e constantes do Mundo Espiritual, para que todos os seus empreendimentos sejam devidamente valorizados. À maneira dos indivíduos, as pátrias têm, igualmente, direito à mais ampla liberdade de ação, uma vez atingido o plano dos seus raciocínios próprios. Acompanharemos, indiretamente, o Brasil, onde as sementes do Evangelho foram jorradas a mancheias, a fim de que o seu povo, generoso e fraternal, possa inscrever mais tarde a sua gloriosa missão espiritual nas mais belas páginas da civilização, em o livro de ouro dos progressos do mundo. Seus votos evolutivos, no que se refere às instituições sociais e políticas, serão carinhosamente observados por nós, de maneira a não serem obstadas as deliberações das suas autoridades administrativas no plano tangível da matéria terrestre; mas, como o reino do amor integral e da verdade pura ainda não é do orbe terreno, urge reformemos também as nossas atividades, concentrando-as na obra espiritual da evangelização de todos os Espíritos localizados na região do Cruzeiro.

"Consolidareis o templo de Ismael, para que do seu núcleo possam expandir-se, por toda a extensão territorial da pátria brasileira, as claridades consoladoras da minha doutrina de redenção, de piedade e de misericórdia. Ensinareis aos meus novos discípulos encarnados a paciência e a serenidade, a humildade e o amor, a paz e a resignação, para que a luta seja vencida pela luz e pela verdade. Abrireis para a caravana do Evangelho, que marcha ao longo dos caminhos da sombra, a estrada da revolução interior, cujo objetivo único é a reforma de cada um, sob o fardo das provas, sem o recurso à indisciplina perante as leis estatuídas no mundo e sem o auxílio das armas homicidas.

"A Nova Revelação não é dada para que se opere a conversão compulsória de César às coisas de Deus, mas para que César esclareça o seu próprio coração, edificando-se no exemplo dos seus subordinados e tornando divina a sua imperfeita obra terrestre. Conduzireis, portanto, aos meus discípulos encarnados o estandarte da fé e da caridade, com o programa da renúncia e do desprendimento dos bens humanos, dentro dos sagrados imperativos da sua grandiosa missão.

"A proclamação da República brasileira, como índice da maioridade coletiva da Nação do Evangelho, há de fazer-se sem derramamento de sangue, como se operaram todos os grandes acontecimentos que afirmaram, perante o mundo, a Pátria do Cruzeiro, os quais se desenvolveram sob a nossa imediata atenção. Doravante, o Brasil político será entregue à sua responsabilidade própria. As transições se realizarão acima de todos os cultos religiosos, para que todas as conquistas se verifiquem fora de qualquer eiva de sectarismo. Os discípulos do Evangelho sofrerão, certamente, os efeitos dolorosos da borrasca em perspectiva; estaremos, porém, a postos, sustentando o Brasil espiritual, que, de ora em diante, passará a ser o nosso precioso patrimônio. Articularemos todas as possibilidades e energias em favor do Evangelho, no país inteiro, e a obra de Ismael derramará as bênçãos fulgurantes do Céu sobre todos os corações, na estrada de todos os felizes e de todos os tristes da Terra.

"Acordemos a alma brasileira para a luminosa alvorada desse novo dia!

"No capítulo das instituições humanas, os esforços que despendemos até agora estão mais ou menos encerrados; compete-nos, todavia, em todos os dias do porvir, conservar e desenvolver a 'melhor parte', espiritualizando essas mesmas instituições, dentro das grandes finalidades de todos os labores das esferas elevadas do Plano Espiritual.

"Bem-aventurados todos os trabalhadores da seara divina da Verdade e do Amor, pois deles é o reino imortal da suprema ventura!"

As falanges do Infinito, sob as bondosas determinações do divino Mestre preparam, então, o último acontecimento político, que se verificaria com o seu amparo direto e que constituiria a proclamação da República.

Todas as grandes cidades do país, com o Rio de Janeiro na vanguarda, se entregam à propaganda aberta das ideias republicanas. Os espíritos mais eminentes do país preparam o grande acontecimento. Entre os seus organizadores, preponderam os elementos positivistas, para que as novas instituições não pecassem pelos excessos da paixão sanguinolenta dos sectarismos religiosos, e, a 15 de novembro de 1889, com a bandeira do novo regime nas mãos de Benjamin Constant,[163] Quintino Bocaiúva,[164] Lopes Trovão,[165] Serzedelo Correia,[166] Rui Barbosa[167] e toda uma plêiade de inteligências cultas e vigorosas, o marechal Deodoro da Fonseca[168] proclama, inopinadamente, no Rio de Janeiro, a República dos Estados Unidos do Brasil.

---

[163] N.E.: Benjamin Constant Botelho de Magalhães (1837–1891) foi um professor e engenheiro militar brasileiro, considerado líder intelectual do movimento republicano.

[164] N.E.: Quintino Antônio Ferreira de Sousa Bocaiúva (1836–1912), escritor, jornalista e político brasileiro.

[165] N.E.: José Lopes da Silva Trovão (1848–1925), médico, jornalista e político brasileiro.

[166] N.E.: Inocêncio Serzedelo Correia (1858–1932), político e economista brasileiro.

[167] N.E.: Rui Barbosa de Oliveira (1849–1923), jurista, político e diplomata brasileiro.

[168] N.E.: Manuel Deodoro da Fonseca (1827–1892), marechal e político brasileiro.

O grande imperador recebe a notícia com amarga surpresa. Deodoro, que era íntimo do seu coração e da sua casa, voltava-se agora contra as suas mãos generosas e paternais. Todos os ambientes monárquicos pesam esse ato de ingratidão clamorosa, mas a verdade é que todos os republicanos eram amigos íntimos de D. Pedro; quem não lhe devia, no Brasil, o patrimônio de cultura e liberdade?

Os instantes de surpresa, contudo, foram rápidos.

O nobre monarca repeliu todas as sugestões que lhe eram oferecidas pelos Espíritos apaixonados da Coroa, no sentido da reação. Confortado pelas luzes do Alto, que o não abandonaram em toda a vida, D. Pedro II não permitiu que se derramasse uma gota de sangue brasileiro, no imprevisto acontecimento. Preparou, rapidamente, sua retirada com a família imperial para a Europa, obedecendo às imposições dos revolucionários e, com lágrimas nos olhos, rejeita as elevadas somas de dinheiro que o Tesouro Nacional lhe oferece, para aceitar somente um travesseiro de terra do Brasil, a fim de que o amor da Pátria do Cruzeiro lhe santificasse a morte, no seu exílio de saudade e pranto.

Jesus, porém, consoante à sua promessa, lhe santificaria os cabelos brancos. Uma tranquila paciência caracterizou o seu inenarrável martírio moral.

O grande imperador retirou-se do Brasil deixando, não um império perecível e transitório do mundo, mas uma família ilimitada, que hoje atinge a soma de quase cinquenta milhões de almas.

Visitado pelo visconde de Ouro Preto,[169] no mesmo dia em que este chegava à capital portuguesa, o imperador lhe declara com serena humildade:

— Em suma, estou satisfeito...

E, referindo-se à sua deposição, acrescenta:

— É a minha carta de alforria. Agora posso ir aonde quiser.

---

[169] N.E.: Afonso Celso de Assis Figueiredo (1860-1938), político brasileiro.

Naqueles amargurados dias, o generoso velhinho se encontrava às vésperas do seu regresso à pátria da luz e da imortalidade.

No Brasil, iam ser continuadas as suas tradições de amor e de liberdade, pelas forças militares, que, a seu turno, as entregariam aos grandes presidentes paulistas.

Nunca a sua figura de chefe da família brasileira foi esquecida no altar das lembranças da Pátria do Evangelho, e não foi só o Brasil quem lhe reconheceu a inesquecível superioridade espiritual.

Conta-nos Múcio Teixeira,[170] então cônsul-geral do Brasil em Caracas, que ao chegarem até lá as notícias dos acontecimentos de 15 de novembro, desenrolados no Rio de Janeiro, ao entrar no Palácio do Governo da República vizinha, ao qual, logo depois, solicitou o seu *exequátur*,[171] o Dr. Rojas Paúl,[172] eminente político sul-americano, encaminhou-se ao seu encontro, exclamando:

— Senhor cônsul-geral do Brasil, peça a Deus que a sua pátria, que foi governada durante meio século por um sábio, não seja doravante levada pelo tacão do primeiro ditador que se lhe apresente.

E, abraçando-o, sensibilizado, concluiu:

— Acabou-se a única República que existia na América — o Império do Brasil.

---

[170] N.E.: Múcio Scevola Lopes Teixeira (1857-1926), escritor, jornalista, diplomata e poeta brasileiro.

[171] N.E.: Do latim *exequatur*, significa autorização concedida a um cônsul estrangeiro para este exercer suas funções no país.

[172] N.E.: Juan Pablo Rojas Paúl (1826-1905), político venezuelano.

~ 28 ~
A Federação Espírita Brasileira

Logo após a proclamação da República, Ismael volta a concentrar seu esforço na consolidação da sua obra terrestre. Seu primeiro cuidado foi examinar todos os elementos, procurando reafirmar, no seio dos ambientes espiritistas, a necessidade da obra evangélica, no sentido de que ressurgisse a doutrina de tolerância e de amor, de piedade e perdão, do Crucificado. Todo um campo de trabalho se desdobrava aos olhos de suas abnegadas falanges, aguardando o esforço dos arroteadores para a esperançosa semeadura. Seu coração angélico e misericordioso, sob a égide do divino Mestre, já havia distribuído as noções evangélicas a todos os Espíritos sedentos das claridades do Consolador, e a Doutrina dos Espíritos, no Brasil, sob a sua influência, se tocava da luz divina da caridade e da crença, pressagiando as mais sublimes edificações morais.

O abnegado mensageiro do Mestre, começando o movimento de organização nos primeiros dias de 1889, preparara o ambiente necessário para que todos os companheiros do Rio ouvissem a palavra póstuma de Allan Kardec, que, por meio do médium Frederico Júnior,[173] forneceu as suas instruções aos espiritistas da capital brasileira, exortando-os ao estudo, à caridade e à unificação.

Bezerra de Menezes, que já militava ativamente nos labores doutrinários, recebeu a palavra do Alto com a alma fremente de júbilo e de esperança, e considerou, no campo de suas meditações e de suas preces, a necessidade de se reunir a família espiritista brasileira sob o lábaro bendito de Ismael, a fim de que o mundo conhecesse o Cristianismo restaurado. Existiam, no Rio, sociedades prestigiosas, mas cada qual com o seu programa particular, descentralizando a ação renovadora que as instruções do plano invisível traziam, logicamente, a todos os corações que militavam no sagrado labor da Doutrina.

A Federação Espírita Brasileira, fundada desde o ano-bom de 1884, por Elias da Silva, Manoel Fernandes Figueira,[174] Pinheiro Guedes[175] e outros companheiros do ideal espiritualista, no Rio de Janeiro, esperava, sob a proteção de Ismael, a época propícia para desempenhar a sua elevada tarefa junto de todos os grupos do país, no sentido de federá-los, coordenando-lhes as atividades dentro das mais sadias expressões da Doutrina. Bezerra de Menezes, desde 1887, iniciara uma série de trabalhos magistrais pelas colunas de *O Paiz*,[176] oferecendo a todos as mais belas e produtivas sementes do Cristianismo. A palavra de Max, pseudônimo que ele havia adotado, inundava de esperança e de fé o coração dos seus leitores, iniciando-se, desse modo, uma das mais prodigiosas sementeiras do Espiritismo no Brasil. Desde

---

[173] N.E.: Frederico Pereira da Silva Júnior (1858–1914).

[174] N.E.: Professor Manoel Fernandes Figueira (1829–1918).

[175] N.E.: Antônio Pinheiro Guedes (1842–1908).

[176] N.E.: Periódico matutino publicado no Rio de Janeiro, entre o último quartel do século XIX e a Revolução de 1930.

1885, igualmente funcionava o Grupo Ismael, com Sayão e Bittencourt Sampaio, célula de evangelização, cujas claridades divinas tocariam todos os corações.

Em breve, os mensageiros do Senhor conseguiram agremiar a caravana dispersa. No templo de Ismael iam reunir-se, enfim, os operários da grande oficina do Evangelho: Bezerra, Sayão, Bittencourt, Frederico, Filgueiras, Richard, Albano do Couto, Zeferino Campos e outros elementos da vanguarda cristã.

O tempo, todavia, era de transição e de incertezas.

A República, com as suas ideologias novas, filhas do positivismo mais avançado, criara os mais sérios embaraços ao desenvolvimento da Doutrina. O novo Código Penal incluíra o Espiritismo nos seus textos e o ambiente era obscuro, sentindo todas as correntes espiritistas a necessidade imediata de união para a defesa comum e, enquanto se balbuciavam protestos a medo, a Federação, com a sua prudência e a sua serenidade, iniciou a defesa pacífica da Doutrina, dirigindo uma "Carta Aberta" ao Ministro da Justiça do Governo Provisório, em que esclarecia devidamente a situação. Os mensageiros invisíveis cuidaram, então, de organizar os novos planos de unificação de todos os elementos.

Atendendo aos seus rogos reiterados, a palavra do Mestre se faz ouvir, esclarecendo o seu emissário dileto:

— Ismael — disse-lhe o Senhor —, concentraremos agora todos os nossos esforços a fim de que se unifiquem os meus discípulos encarnados, para a organização da obra impessoal e comum que iniciaste na Terra. Na pátria dos meus ensinamentos, o Espiritismo será o Cristianismo revivido na sua primitiva pureza, e faz-se mister coordenar todos os elementos da causa generosa da verdade e da luz, para os triunfos do Evangelho. Procurarás, entre todas as agremiações da Doutrina, aquela que possa reunir no seu seio todos os agrupamentos; colocarás aí a tua célula, a fim de que todas as mentalidades postas na direção dos trabalhos evangélicos estejam afinadas pelo diapasão da tua serenidade e do teu devotamento à minha seara. E como as atividades humanas constituem, em todos os tempos, um oceano de inquietudes, a caridade pura deverá ser a âncora da tua obra, ligada para sempre ao fundo dos corações, no mar imenso das instabilidades humanas. A caridade valerá mais que todas as ciências e filosofias, no transcurso das eras, e será com ela que conseguirás consolidar a tua casa e a tua obra.

O abnegado mensageiro do Alto regressou ao trabalho, cheio de coragem e segurança no seu grandioso apostolado.

As energias dissolventes das trevas do mundo invisível lutaram contra ele e contra o Evangelho. Forças terríveis de separatividade pesaram sobre os seus esforços no ano de 1893, quando o próprio Bezerra, incansável e abnegado missionário, foi obrigado a paralisar os seus escritos nas páginas de *O Paiz*, depois de quase sete anos de doutrinação ininterrupta e brilhante, num apelo a Jesus, com as mais comovedoras lágrimas da sua crença e do seu sacrifício.

Ismael, porém, não abandonou os seus devotados colaboradores; reuniu os companheiros mais afins com as suas ideias generosas e reorganizou a sua obra.

As ordens e observações de Jesus foram por ele integralmente cumpridas. Escolheu as reservas preciosas da Federação e assentou, dentro dela, a sua tenda de trabalho espiritual. Consolidou a Assistência aos Necessitados, fundada em 1890, que radicou a sua obra no coração da coletividade carioca, e a caridade foi e será sempre o inabalável esteio da venerável Instituição que hoje se ergue na Avenida Passos. Com essas providências, levadas a efeito numa das noites memoráveis de julho de 1895, Bezerra de Menezes assumia a sua posição de diretor de todos os trabalhos de Ismael no Brasil, coordenando os elementos para a evangelização e deixando a Federação como o porto luminoso de todas as esperanças, entre o Grupo Ismael, que constitui o seu santuário de ligação com os trabalhadores do Infinito, e a Assistência aos

Necessitados, que a vincula, na Terra, a todos os corações infortunados e sofredores, e representa, de fato, até hoje, a sua âncora de conservação no mesmo programa evangélico, no seio das ideologias novas e das perigosas ilusões do campo social e político. Bezerra desprendeu-se do orbe, tendo consolidado a sua missão para que a obra de Ismael pudesse ser livremente cultivada no século XX. E essa obra prossegue sempre. Podem as inquietações da Terra separar, muitas vezes, os trabalhadores humanos no seu terreno de ação, mas a sociedade benemérita, onde se ergue a flâmula luminosa — "Deus, Cristo e Caridade" — permanece no seu porto de paz e de esclarecimento. A sua organização federativa é o programa ideal da Doutrina no Brasil, quando chegar a ser integralmente compreendido por todas as agremiações de estudos evangélicos no país.

A realidade é que, considerada às vezes como excessivamente conservadora, pela inquietação do século, a respeitável e antiga Instituição é, até hoje, a depositária e diretora de todas as atividades evangélicas da Pátria do Cruzeiro. Todos os grupos doutrinários, ainda os que se lhe conservam contrários, ou indiferentes, estão ligados a ela por laços indissolúveis no Mundo Espiritual. Todos os espiritistas do país se lhe reúnem pelas mais sacrossantas afinidades sentimentais na obra comum, e os seus ascendentes têm ligações no plano invisível com as mais obscuras tendas de caridade, onde entidades humildes, de antigos africanos, procuram fazer o bem aos seus semelhantes.

As forças das sombras alimentam, muitas vezes, o personalismo e a vaidade dos homens, mesmo daqueles que se encontram reunidos nas tarefas mais sagradas; mas a direção suprema do trabalho do Evangelho se processa no Alto e a Federação Espírita Brasileira, dentro da sua organização baseada nos ensinamentos do Mestre, está sempre segura do seu labor junto das almas e dos corações, cultivando os mais belos frutos de espiritualidade na seara de Jesus, consciente da sua responsabilidade e da sua elevada missão.

~ 29 ~
O Espiritismo no Brasil

Consolidadas as primeiras construções basilares de Ismael na Pátria do Cruzeiro, o Espiritismo derramou seus frutos sazonados e doces no coração da coletividade brasileira.

Em seu seio, nas grandes sociedades e nos lugarejos obscuros, a Doutrina consoladora apresentou sempre as mais belas expressões de caridade e de fraternidade.

Jesus, com as suas mãos meigas e misericordiosas, fez reviver, no país abençoado dos seus ensinamentos, as curas maravilhosas dos tempos apostólicos.

Abnegados médiuns curadores, desde os primórdios da organização da obra de Ismael nas terras do Brasil, espalharam, como instrumentos da verdade, as mais fartas colheitas de bênçãos do Céu, iluminando todos os corações. Curando os enfermos, os novos discípulos do Senhor restabeleciam o espírito geral para a grande tarefa; vestindo os andrajosos,[177] tocavam as almas de uma nova roupagem de esperança.

---
[177] N.E.: Cobertos de andrajos (panos velhos e rasgados; trapos, farrapos).

Enquanto na Europa a ideia espiritualista era somente objeto de observações e pesquisas nos laboratórios, ou de grandes discussões estéreis no terreno da Filosofia, não obstante os primores morais da Codificação kardequiana, o Espiritismo penetrava o Brasil com todas as suas características de Cristianismo Redivivo, levantando as almas para uma nova alvorada de fé. Aí, todas as suas instituições se alicerçavam no amor e na caridade. As próprias agremiações científicas que, de vez em quando, aparecem para cultivá-lo, na sua rotulagem de metapsíquica, são absorvidas no programa cristão, sob a orientação invisível e indireta dos emissários do Senhor. Todas as possibilidades e energias são por Ismael aproveitadas para o bem comum e para a tarefa de todos os trabalhadores, e é por isso que todos os grupos sinceros do Espiritismo, no país, têm as suas águas fluidificadas, a terapêutica do magnetismo espiritual, os elementos da homeopatia, a cura das obsessões, os auxílios gratuitos no serviço de assistência aos necessitados, dentro do mais alto espírito evangélico, dando-se de graça aquilo que se recebeu como esmola do Céu. Não é raro vermos caboclos que engrolam a gramática nas suas confortadoras doutrinações, mas que conhecem o segredo místico de consolar as almas, aliviando os aflitos e os infelizes, ou, então, médiuns da mais obscura condição social, e nas mais humildes profissões, a se constituírem instrumentos admiráveis nas mãos piedosas dos mensageiros do Senhor.

A Europa recebeu a Nova Revelação sem conseguir aclimá-la no seu coração atormentado pelas necessidades mais duras. As próprias sessões mediúnicas são ali geralmente remuneradas, como se esses fenômenos se processassem tão somente pelas disposições estipuladas num contrato de representações, enquanto, no Brasil, todos os espiritistas sinceros repelem o comércio amoedado, nas suas sagradas relações com o plano invisível, conservando as intenções mais puras no hostiário da sua fé.

A obra de Ismael prossegue em sua marcha por dentro de todos os centros de estudo e de cultura do país. Todavia, temos de considerar que um trabalho dessa natureza, pelo seu caráter grandioso e sublime, não poderia desenvolver-se sem os ataques inconscientes das forças reacionárias do próprio mundo invisível, e, como a Terra não é um paraíso e nem os homens são anjos, as entidades perturbadoras se aproveitam dos elementos mais acessíveis da natureza humana para fomentar a discórdia, o demasiado individualismo, a vaidade e a ambição, desunindo as fileiras que, acima de tudo, deveriam manter-se coesas para a grande tarefa da educação dos Espíritos, dentro do amor e da humildade.

A essas forças, que tentam a dissolução dos melhores esforços de Ismael e de suas valorosas falanges do Infinito, deve-se o fenômeno das excessivas edificações particularistas do Espiritismo no Brasil, particularismos que descentralizam o grande labor da evangelização. Mas, examinando semelhante anomalia, somos forçados a reconhecer que Ismael vence sempre. Construídas essas obras, que se levantam com pronunciado sabor pessoal, o grande mensageiro do divino Mestre as assinala imediatamente com o selo divino da caridade, que, de fato, é o estandarte maravilhoso a reunir todos os ambientes do Espiritismo no país, até que todas as forças da Doutrina, pela experiência própria e pela educação, possam constituir uma frente única de espiritualidade, acima de todas as controvérsias.

É para essa grande obra de unificação que todos os emissários cooperam no Plano Espiritual, objetivando a vitória de Ismael nos corações. E os discípulos encarnados bem poderiam atenuar o vigor das dissensões esterilizadoras, para se unirem na tarefa impessoal e comum, apressando a marcha redentora. Nas suas fileiras respeitáveis, só a desunião é o grande inimigo, porque, com referência ao Catolicismo, os padres romanos, com exceção dos padres cristãos, se conservam onde sempre estiveram, isto é, no banquete dos poderes temporais, incensando os príncipes do mundo e tentando inutilizar a verdadeira obra cristã. Os espiritistas bem sabem que se eles constituem sérios empecilhos à marcha da luz, todos os obstáculos serão, um dia, removidos para sempre do caminho ascensional do progresso. Além disso, temos de considerar que a Igreja Católica se desviou da sua obra de salvação, por um determinismo histórico que a compeliu a colaborar com a política do mundo, em cujas teias perigosas a sua Instituição ficou encarcerada e que, examinada a situação, não é possível desmontar-se a sua máquina de um dia para outro. Sabemos, porém, que a sua fase de renovação não está muito distante. Nas suas catedrais confortáveis e solitárias e nos seus conventos sombrios, novos inspirados da Úmbria[178] virão fundar os refúgios amenos da piedade cristã.

Depreende-se, portanto, que a principal questão do espiritualismo é proclamar a necessidade da renovação interior, educando-se o pensamento do homem no Evangelho, para que o lar possa refletir os seus sublimados preceitos. Dentro dessa ação pacífica de educação das criaturas, aliada à prática genuína do bem, repousam as bases da obra de Ismael, cujo objetivo não é a reforma inopinada das instituições, impondo abalos à Natureza, que não dá saltos; é, sim, a regeneração e o levantamento moral dos homens, a fim de que essas mesmas instituições sejam espontaneamente renovadas para o progresso comum.

A tarefa é vagarosa, mas, de outra forma, seria a destruição e o esforço insensato. A obra da revolução espiritual, no Evangelho de Jesus, não se compadece com as agitações do século. Os que desejarem impor, no seu compreensível entusiasmo de crentes, os preceitos do Mestre às instituições estritamente humanas, talvez ainda não tenham ponderado que a obra cristã espera, há dois milênios, a compreensão do mundo. Todos os que lutaram por ela de armas na mão e quantos pretenderam utilizar-se dos processos da força para a imposição dos seus ensinamentos, no transcurso dos séculos, tarde reconheceram a sua ilusão, redundando seus esforços no mais franco desvirtuamento das lições do

---

[178] N.E.: Região da Itália central.

Salvador, porque essas lições têm de começar no coração, para conseguirem melhorar e regenerar o planeta.

É dentro dessa serenidade, sob a luz da humildade e do amor, que os espiritistas do Brasil devem reunir-se, a caminho da vitória plena de Ismael em todos os corações. Está claro que a Doutrina não poderá imitar as disciplinas e os compromissos rijos da instituição romana, porque, nas suas características liberais, o pensamento livre, para o estudo e para o exame, deve realizar uma das suas melhores conquistas e nem é possível dispensar, totalmente, a discussão no labor de aclaramento geral. A liberdade não exclui a fraternidade, e a fraternidade sincera é o primeiro passo para a edificação comum.

Dentro, pois, do Brasil, a grande obra de Ismael tem a sua função relevante no organismo social da Pátria do Cruzeiro, vivificando a seara da educação espiritual. E não tenhamos dúvida. Superior às funções dos transitórios organismos políticos, é essa obra abençoada, de educação genuinamente cristã, o ascendente da nação do Evangelho e o elemento que preparará o seu povo para os tempos do porvir.

~ 30 ~
Pátria do Evangelho

Com a República, atingiu o Brasil a sua maioridade coletiva e as falanges do Infinito, naturalmente, concentraram as suas possibilidades e esforços no desenvolvimento da obra de Ismael no País do Cruzeiro.

Seus maiores eventos puramente políticos não deixaram, no entanto, de ser acompanhados pelos mensageiros do bem, objetivando a tranquilidade comum e a evolução geral.

Todavia, com o grande feito de 15 de novembro de 1889, terminamos este escorço[179] à guisa de História.

Outros, por certo, consultando as razões dos fatos relacionados no tempo, poderão apresentar trabalho mais pormenorizado e melhor, no domínio dos estudos transcendentes do psicólogo e do historiador, onde se emaranham as causas profundas dos menores acontecimentos, englobando as atividades de quantos, ainda encarnados, se encontram em evidência no país e são suscetíveis de apresentar, de futuro, mais amplos esclarecimentos.

---
[179] N.E.: Resumo.

Nosso objetivo, trazendo alguns apontamentos à história espiritual do Brasil, foi tão somente encarecer a excelência da sua missão no planeta, demonstrando, simultaneamente, que cada nação, como cada indivíduo, tem sua tarefa a desempenhar no concerto dos povos. Todas elas têm seus ascendentes no mundo invisível, de onde recebem a seiva espiritual necessária à sua formação e conservação. E um dos fins principais do nosso escorço foi examinar, aos olhos de todos, a necessidade da educação pessoal e coletiva, no desdobramento de todos os trabalhos do país. Porque a realidade é que o Brasil, na sua situação especialíssima e com o seu patrimônio imenso de riquezas, não poderá insular-se do resto do mundo ou acastelar-se na sua posição de Pátria do Evangelho, embora a época seja de autarquias detestáveis, neste período de decadência e transição de todos os sistemas sociais.

O maior problema é o da educação nacional, para que os filhos das outras terras, necessários e indispensáveis ao progresso econômico da nação, não se sintam dispostos a reviver, no Brasil, as taras de suas antigas organizações, e sim absorvidos no círculo espiritual do país do Evangelho, possam integrar as suas fileiras de fraternidade e evolução.

Apesar da recente filosofia do "bastar-se a si mesmo", nenhum país do mundo pode viver independente da comunidade internacional. Toda a grandeza material de um povo repousa na regularidade dos fenômenos da troca e todas as guerras, quase sempre, têm origem na desarmonia do comércio entre as nações. No Brasil, a chamada contribuição estrangeira é indispensável; e o único recurso, contra a incursão do elemento nocivo ou ameaçador da estabilidade das instituições brasileiras, é a educação ampla do povo, em cujos labores sagrados deveriam viver todos os programas do bom nacionalismo.

Se muitas escolas existem no Sul, onde somente se ensina o idioma alemão, em muitos casos é porque os professores do Brasil não se decidiram a enfrentar as surpresas da região, a fim de zelarem pelo patrimônio intelectual dos novos operários da pátria. Se algumas dezenas de agrônomos vieram diretamente de Tóquio para os riquíssimos vales do Amazonas, é que os agrônomos brasileiros não se animaram a trabalhar no sertão hostil, receosos do sacrifício. Entretanto, não faltariam espíritos abnegados e corajosos, no seio do povo fraterno que floresce no coração geográfico do mundo, ansiosos por participarem da grande obra construtiva de organização cultural e econômica da Terra em que se desenvolvem numa grande tarefa de amor, se os ambientes universitários, com as suas habilitações oficiais, não estivessem abertos somente à aristocracia do ouro. A palavra de um mestre custa uma fortuna, apenas suscetível de ser remunerada pelas famílias mais abastadas e mais favorecidas, e nem sempre nesses ambientes confortáveis se encontram as almas apaixonadas pela luta em prol do progresso comum.

Nesta época de confusão e amargura, quando, com as mais justas razões, se tem, por toda parte, a triste organização do homem econômico da filosofia marxista, que vem destruir todo o patrimônio de tradições dos que lutaram e sofreram no pretérito da Humanidade, as medidas de repressão e de segurança devem ser tomadas a bem das coletividades e das instituições, a fim de que uma onda inconsciente de destruição e morticínio não elimine o altar de esperanças da pátria. Que o capitalismo, visando à própria tranquilidade coletiva, seja chamado pelas administrações ao debate, a incentivar com os seus largos recursos a campanha do livro, do saneamento e do trabalho, em favor da concórdia universal.

Não nos deteremos a falar, depois da República, de quantos se encontram ainda no cenáculo das atividades e dos feitos do país, porquanto semelhante ação de nossa parte constituiria uma intervenção indébita nas iniciativas e empreendimentos dos "vivos".

Jesus, que é a suprema personificação de toda a misericórdia e de toda a justiça, auxiliará a cada qual no desdobramento dos seus esforços para glória da nacionalidade.

O Brasil está cheio de ideologias novas, refletindo a paisagem do século; cabe aos bons operários do Evangelho concentrar suas atividades no esclarecimento das almas e na educação dos Espíritos.

Todas as fórmulas humanas, dentro das concepções que exprimam, por mais alevantadas que se afigurem, são perecíveis e transitórias. A política sofrerá, no curso dos séculos, as alternativas do direito da força e da força do direito, até que o planeta possa atingir relativa perfeição social, com a cultura generalizada. A Ciência, como a Filosofia e as escolas sectárias, viverá entre dúvidas e vacilações, assentando seus feitos na areia instável das convenções humanas. Só o legítimo ideal cristão, reconhecendo que o Reino de Deus ainda não é deste mundo, poderá, com a sua esperança e o seu exemplo, espiritualizar o ser humano, espalhando com os seus labores e sacrifícios as sementes produtivas na construção da sociedade do futuro.

Conhecedores dessa grande verdade, supliquemos a Jesus se digne derramar do orvalho de seu amor sobre os vermes da Terra.

Que as falanges de Ismael possam, aliadas a quantos se desvelam pela sua obra divina, reunir o material disperso e que a Pátria do Evangelho mais ascenda e avulte no concerto dos povos, irradiando a paz e a fraternidade que alicerçam, indestrutivelmente, todas as tradições e todas as glórias do Brasil.

Índice geral [181]

Abertura dos portos
   José da Silva Lisboa e – 15

Abolição da Escravatura
   Isabel, D., e – 26

Academia de Marinha
   João VI, D., rei, e – 16

Afonso V, D., rei
   influência de D. Henrique, Espírito, no reinado de – 2, nota

Afonso, D., primeiro duque de Bragança
   descendentes de – 9

Aguiar, conde de, ministro
   João VI, D., rei, e – 16

Alcácer-Quibir
   derrota de Sebastião, D., rei, e – 5, nota

Alexandre VI
   bula de – 2, nota

Alforria
   movimento de * na pia batismal – 12

Alfredo, João, senador
   biografia de – 26, nota
   organizador do novo ministério e – 26

Alma
   formação da * coletiva – 3
   fraternidade, ternura, perdão e * brasileira – 5

Alvarenga, Inácio de
   esboços da conspiração e – 14, nota

Alves, Castro
   colaborador de Pedro II, D. – 25
   movimento libertador de Ismael e – 26

---

[181] N.E.: Remete ao número do capítulo.

Índice geral

Amazonas
    jesuítas e conquista do – 11
    pretensões da França e vale do – 11

Ambiente universitário
    aristocracia do ouro e – 30

Américo, Pedro
    colaborador de Pedro II, D. – 25

Anátema
    significado do termo – 23, nota

Anchieta, José de
    apóstolo do Brasil e – 4
    defesa dos indígenas e – 8
    Duarte da Costa e – 4
    Espírito santificado e – 4, nota
    humildade de Fabiano de
      Cristo e – 4, nota
    João de Bolés e – 6
    reunião no Colégio de
      Piratininga e – 6

Andrade, Gomes Freire de
    Manuel Beckman e – 11
    movimento restaurador e – 11, nota

Andrade, Pais de
    biografia de – 21, nota
    Confederação do Equador e – 21

Andrajo
    significado do termo – 29, nota

Árvore genealógica
    lei de reencarnação e – 20

Arzão, Antônio Rodrigues
    projetos na terra do Cruzeiro
      e – 10, nota

Assembleia Constituinte
    Pedro I, D., e dissolução da – 20, 21

Assis, Francisco de
    tradições de carinho e de
      bondade e – 1

Atouguia, conde de
    implicado no movimento
      regicida – 13

Aveiro, duque de
    implicado no movimento
      regicida – 13

Avilez, Jorge
    biografia de – 19, nota
    comandante das tropas
      portuguesas e – 19

Azambuja, Diogo de
    fundação do castelo de São
      Jorge e – 2, nota

Azeredo, Marcos de
    projetos na terra do Cruzeiro
      e – 10, nota

Azevedo, Moreira de
    biografia de – 16, nota

Bahia
    assassinato de Francisco Teles
      de Menezes e – 11, nota
    Johan Van Dorth e invasão da – 8

Baía de Guanabara
    Américo Vespúcio e quadro da – 4
    assédio de Duguay-Trouin
      à – 11, nota
    franceses e feitoria na – 6

Banco do Brasil
    João VI, D., rei, e – 16

Bandeira de luz
    Deus, Cristo e Caridade e – 3
    perdão, concórdia e – 3

Bandeiras
    considerações sobre – 10, nota
    latifúndios do Brasil e – 10

Índice geral

Barbosa, Rui
  biografia de – 27, nota
  proclamação da República e – 27

Barros, João de
  expedição de – 5, nota

Beckman, Manuel
  Companhia do Comércio
    e – 11, nota
  Gomes Freire de Andrade
    e – 11, nota
  prisão e morte de – 11

Bem
  único determinismo divino – 15

Beresford
  biografia de – 17, nota
  ditadura de – 18

Bianco, André
  terra desconhecida e mapa
    de – 2, nota

Biblioteca Real
  João VI, D., rei, e – 16

Bittencourt, Agostinho Petra
  juiz aposentador e – 16
  Moreira de Azevedo e – 16, nota

Bobadela, conde de
  primeira oficina tipográfica
    do país e – 13

Bocaiúva, Quintino
  biografia de – 27, nota
  proclamação da República e – 27

Bolés, João de
  José de Anchieta e – 6
  suplício de – 6, nota

Bonaparte, Napoleão, imperador
  Diretório e – 15, nota
  Eclesiastes e – 17
  invasão de Portugal e – 15
  tratado com Espanha e – 15

Bonifácio, José
  biografia de – 19, nota
  correspondência de * com Frederico
    Hahnemann – 22
  ministro do reino do Brasil
    e dos Negócios
    Estrangeiros e – 19
  tutor de Pedro de Alcântara, D. – 21

Bourbon
  família dos – 15, nota

Brasil
  bandeiras e latifúndios do – 10
  chegada de João VI, D., ao – 15
  coração do mundo – 1
  coração geográfico do mundo e – 6
  ecos do Sermão da Montanha e – 3
  formação do pedestal de
    solidariedade e – 1
  França e influência
    portuguesa no – 11
  fraternidade e negros do – 7
  guerra entre Paraguai e – 25
  interferência do * nas questões
    da Argentina e
    do Uruguai – 25
  invasão efetuado pelo *
    no Uruguai – 25
  João VI, D., rei, e
    independência do – 14
  missão do * no planeta – 30
  negros do * se incorporam
    à raça nova – 7
  negros e organização física do – 5
  obra imortal do Evangelho e – 1
  Paiz, O, jornal, sementeira do
    Espiritismo no – 28
  porta estreita para o Céu e – 7
  Portugal e emancipação
    política do – 14

repercussão no * do movimento
  preparatório do Espiritismo – 23
retirada da Casa de Bragança
  para o – 15
situação do * após a abdicação
  de Pedro I, D., – 24
Tamoios, maior confederação
  indígena do – 6
terra da promissão e – 7
Tratado de Tordesilhas e – 1, nota
unidade e indivisibilidade do – 2

Bueno, Bartolomeu
  projetos na terra do Cruzeiro
    e – 10, nota

Cabral, Pedro Álvares
  expedição de – 2
  sonhos sobrenaturais e – 2

Calicut
  considerações sobre – 4, nota
  exilados, aventureiros, e – 4

Cam
  significado do termo – 12, nota

Campo da Lampadosa
  morte de Tiradentes e – 14

Campo de Santana
  incorporação dos milicianos às tropas
    brasileiras no – 19
  reunião do povo no – 21

Cão, Diogo
  costa de Angola e – 2, nota

Capitanear
  significado do termo – 21, nota

Caramuru
  biografia de – 6, nota

Caravana do Evangelho
  estrada da revolução interior e – 27

Caridade
  âncora da obra de Ismael e – 28

Carioca
  feitoria da – 4

Carlos, Antônio, deputado brasileiro
  emigração de * para a Inglaterra – 18

Casa de Avis
  escravagismo e – 5

Casa de Bragança
  dilatação dos limites do reino e – 15
  Lorde Strangford e – 16
  preparação espiritual e – 9
  proteção de Jorge III,
    rei, e – 16, nota
  retirada para o Brasil e – 15

Castelo de São Jorge
  Diogo de Azambuja e
    fundação do – 2, nota

Castor
  significado do termo – 6, nota

Catedral de São Luís
  te-déum e – 11

Catolicismo
  padres romanos, padres
    cristãos, e – 29

Ceuta, expedição de
  Henrique D., Infante de Sagres, e – 2

Ciclópico
  significado do termo – 1, nota

Clemente XIV, papa
  extinção da Companhia
    de Jesus e – 13

Cochrane, Lorde
  biografia de – 19, nota
  Confederação do Equador e – 21

Índice geral

serviços das tropas
  mercenárias de – 19
Código Penal
  inclusão do Espiritismo
  nos textos do – 28
Coelho, Gonçalo
  Américo Vespúcio e – 4, nota
  expedição de – 4, nota
  feitoria de Santa Cruz e – 4
Colégio de Piratininga
  José de Anchieta e reunião no – 6
  reunião das falanges
  invisíveis no – 19
Coligny, almirante
  biografia de – 6, nota
Comércio
  progresso do * na Terra – 1
Companhia de Jesus
  Clemente XIV, papa, e
  extinção da – 13
  Inácio de Loiola e – 13
  reaparecimento da – 13
Companhia do Comércio
  Manuel Beckman e – 11, nota
Confederação do Equador
  Cochrane, Lorde, e – 21
  Pais de Andrade e – 21, nota
  Pernambuco e primeiros
  movimentos da – 21
Conjuração de Minas
  Cláudio Manoel da Costa e – 14, nota
  Inácio de Alvarenga e – 14, nota
  Joaquim José da Silva
  Xavier e – 14, nota
  Silvério dos Reis e – 14, nota
  Tomás Gonzaga e – 14, nota

Conselho Militar
  João VI, D., rei, e – 16
Conselho Ultramarino
  excesso das migrações e – 11, nota
Consolador
  Ismael e advento do – 22
Constant, Benjamin
  biografia de – 27, nota
  proclamação da República e – 27
Convento de Mafra
  João V, D., rei, o Magnânimo, e – 11
Convento de Santo Antônio
  Rio de janeiro e – 12
Coração do Mundo
  monumento evangélico do – 5
Correia, Serzedelo
  biografia de – 27, nota
  proclamação da República e – 27
Corte de Haia
  indenização dos holandeses e – 8
Corte-Real, Gaspar
  descoberta do Canadá e – 2, nota
Costa, Cláudio Manoel da
  esboços da conspiração e – 14, nota
Costa, Duarte da
  José de Anchieta e – 4
  substituição de Tomé de Sousa e – 6
Cristianismo
  Espiritismo e * Redivivo – 28, 29
  Ismael e revivescência do – 3
Cruz, Oswaldo
  Estácio de Sá e – 6
Cruzeiro, terra do
  colaboração dos povos africanos e – 5

Índice geral

epopeia do Evangelho de Jesus e – 2
eterna Porciúncula e – 4

Cunha, João Cosme da,
D., cardeal de Lisboa
marquês de Pombal e – 13

Cunhambebe
chefe indígena – 6, nota
Tamoios e – 6

Declaração dos Direitos do Homem e do Cidadão
atividades políticas da Europa e – 15
renovação das liberdades políticas e – 17

Delanne, Gabriel
auxiliar na obra de Allan Kardec – 22

Denis, Léon
auxiliar na obra de Allan Kardec – 22

Determinismo
amor, fraternidade, e – 10

Deus, Cristo e Caridade
bandeira de luz e – 3, 7

Diário da Bahia, jornal
Luís Olímpio Teles de Menezes, Dr., e – 23, nota

Dias, Diogo
Terra de Vera Cruz e – 2, nota

Diocleciano
biografia de – 6, nota

Donatário
escravização dos negros e – 5
livre-arbítrio e – 5
significado do termo – 5, nota
tristes reveses e * cruel – 5

Dor
eterna lapidária dos Espíritos – 7

Dorth, Johan Van
biografia de – 8, nota

Duarte, D., rei
influência de Henrique D., Espírito, no reinado de – 2, nota

Duclerc
assassinato de – 11
investida no porto do Rio de Janeiro e – 11, nota

Duguay-Trouin
assédio de * à Baía de Guanabara e – 11, nota

Eco d'Além túmulo, O
primeiro periódico espírita brasileiro – 23

Educação espiritual
holandeses, portugueses, e – 8

Educação nacional
importância da – 30

Entidade perturbadora
fomento da discórdia e – 29

Entre Rios
localização de – 25, nota

Ermida do Restelo
Henrique D., e – 2, nota

Escada de Jacó
significado da expressão – 1, nota

Escarmento
significado do termo – 14, nota

Escola de Belas-Artes
João VI, D., rei, e – 16

Escola de Medicina
João VI, D., rei, e – 16

Escola de Sagres
Manuel D., rei, e – 2, nota

Índice geral

Escorço
  significado do termo – 30, nota
Escravagismo
  Casa de Avis e – 5
  donatário, livre-arbítrio e – 5
Escravo
  abrandamento da situação do – 12
  apadrinhamento de * faltoso – 12
  direito de propriedade ao – 12
  humilde, aflito e – 3
  movimento de alforria na
    pia batismal e – 12
Espanha
  Filipe II, rei de – 5, nota
  império resplandecente e
    maravilhoso e – 7
  Napoleão Bonaparte e
    tratado com a – 15
Esperança
  lutas fratricidas e – 1
Espiritismo
  Cristianismo revivido e – 28, 29
  excessivas edificações
    particularistas do – 29
  Gazette Médicale e artigo
    desfavorável ao – 23
  inclusão do * nos textos do
    Código Penal – 28
  Paiz, O, jornal, sementeira
    do * no Brasil – 28
  repercussão do movimento
    preparatório do – 23
Espírito santificado
  Bartolomeu dos Mártires e – 4, nota
  Diogo Jacome e – 4, nota
  José de Anchieta e – 4, nota
  Leonardo Nunes e – 4, nota
  Manoel da Nóbrega e – 4, nota

Estados Unidos da
  América do Norte
  campanha abolicionista e – 26
Estreme
  significado do termo – 26, nota
Etnologia
  Minas Gerais e índice da
    * brasileira – 6
  São Paulo e índice da * brasileira – 6
  significado do termo – 6, nota
Europa
  educação espiritual do
    homem branco da – 5
  ideia espiritualista na – 29
  Nova Revelação e – 29
  reformas nas organizações
    religiosas da – 4
Evangelho
  árvore do * de Jesus – 1
  Brasil e obra imortal do – 1
  exaltação do – 1
  incompreensão dos homens e – 1
  obra da revolução espiritual
    no * de Jesus – 29
  região do Cruzeiro e epopeia do – 2
  sombras da idade medieval
    e lições do – 1
  tratados comerciais e * de Jesus – 9
Exequátur
  significado do termo – 27, nota
Fabiano de Cristo
  José de Anchieta e humildade
    de – 4, nota
Falso sacerdote
  comportamento do – 4
Federação Espírita Brasileira
  Assistência aos Necessitados e – 28
  Carta Aberta ao Ministro

Índice geral

da Justiça e – 28
Elias da Silva e fundação
 da – 28, nota
Grupo Ismael, célula de
 evangelização, e – 26
Manoel Fernandes Figueira e
 fundação da – 28, nota
Pinheiro Guedes e fundação
 da – 28, nota
plano da unificação e da paz e – 23

Figueira, Manoel Fernandes
 biografia de – 28, nota
 fundação da Federação Espírita
 Brasileira e – 28

Feijó, Diogo Antônio
 Araújo Lima substitui *
 na regência – 24
 biografia de – 24, nota
 regente do Império e – 24
 renúncia de – 24

Felonia
 significado do termo – 1, nota

Filipa de Lencastre
 biografia de – 1, nota
 mãe de Henrique de Sagres – 1

Filipe I
 rei de Portugal – 5

Filipe II
 rei de Espanha – 5

Flammarion, Camille
 auxiliar na obra de Allan Kardec – 22

Florim
 significado do termo – 8, nota

Fonseca, Deodoro da, marechal
 biografia de – 27, nota
 proclamação da República e – 27

França
 fundação da * Equinocial – 7
 Henrique II, rei de – 6, nota
 influência portuguesa no Brasil e – 11
 Luís IX, rei de – 1, nota
 Luís XVI, rei de – 15
 regresso de Nicolau de
  Villegaignon à – 6

Francisco I
 disposição testamentária
 de Adão e – 7

Fraternidade
 liberdade e – 29
 negros do Brasil e – 7
 primeiro passo para a edificação
  comum e – 29
 região do Cruzeiro e * universal – 2

Frei Caneca
 biografia de – 21, nota

Frias, Miguel de, major
 biografia de – 21, nota

Gama, Luís
 movimento libertador
 de Ismael e – 26

Gama, Vasco da
 caminho marítimo das
 Índias e – 2, nota

Gazette Médicale
 artigo desfavorável ao
 Espiritismo e – 23

Gonçalves, Bento
 biografia de – 24, nota
 movimento republicano do Rio
 Grande do Sul e – 24

Gonzaga, Tomás
 esboços da conspiração e – 14, nota

Índice geral

Grupo Confúcio
  efêmera existência do – 23
  fundação do – 23
  objetivos da missão de Ismael e – 23

Grupo Espírita Fraternidade
  fundação do – 23

Grupo Ismael
  Adolfo Bezerra de Menezes e – 26, 28
  Albano do Couto e – 28
  Antônio Luís Sayão e – 26, 28
  célula de evangelização e – 26, 28
  Federação Espírita Brasileira e – 26, 28
  Filgueiras e – 28
  Francisco Leite de Bittencourt
    Sampaio e – 26, 28
  Frederico Júnior e – 28
  Richard e – 28
  Zeferino Campos e – 28

Gubbio
  novos lobos de – 1, nota

Guedes, Pinheiro
  biografia de – 28, nota
  fundação da Federação Espírita
    Brasileira e – 28

Guerra das Cruzadas
  morte do rei Luís IX e – 1, nota

Guerra dos Mascates
  Pernambuco e – 11, nota

Hahnemann, Frederico
  biografia de – 22, nota
  correspondência de José
    Bonifácio com – 22
  magnetismo espiritual e – 23

Hasta
  significado do termo – 11, nota

Helil
  Casa de Bragança e inspiração de – 9

considerações sobre o
  termo – 1, nota
  instalação do pensamento
    cristão e – 1
  Jesus e Henrique de Sagres,
    o antigo – 9
  mensageiro de Jesus – 1

Henrique II de França, rei
  Coligny, almirante, e – 6, nota

Henrique, D., Espírito
  aliança de Tiradentes,
    Espírito, e – 16
  assistência espiritual e – 2
  falange de navegadores
    do infinito e – 2
  misericórdia de Jesus e – 9
  organização das falanges de – 9
  reunião das falanges de *
    em Portugal – 16
  vacilações e receios de – 2

Henrique, D., Infante de Sagres
  Afonso V, D., rei, e – 2, nota
  biografia de – 1, nota
  desencarne de – 2
  Duarte, D., rei, e – 2, nota
  expedição de Ceuta e – 2, nota
  João II, D., rei, e – 2, nota
  Vasco da Gama e – 9

Henrique, D., rei
  biografia de – 5, nota

Hydesville, fenômenos de
  considerações sobre – 23, nota
  marquês de Olinda e – 23
  visconde de Uberaba e – 23

Igreja Católica
  desvio da obra de salvação e – 29

Ilha de Serigipe
  franceses na – 6

195

Índice geral

Nicolau de Villegaignon e – 6, nota

Ilha do Governador
Mem de Sá ataca fortificações na – 6

Igreja
culto na * a São Benedito – 12
culto na * a Nossa Senhora
 do Rosário – 12
Inquisição e – 4
organismo mundano e perecível
 dos Estados e – 4

Imprensa Régia
João VI, D., rei, e – 16

Inglaterra
emigração de Antônio
 Carlos, para a – 18
emigração de Araújo
 Lima, para a – 18
tratado de Methuen e – 12

Inquisição
D. João III, D., rei, e – 4, nota
Igreja e – 4
Ismael e perigos da – 7
Portugal e – 9

Isabel, princesa
Abolição da Escravatura e – 26
Lei do Ventre Livre e – 26
retorno da * à regência – 267
trabalho abençoado da
 abolição e – 26

Ismael
ação espiritual das falanges de – 12
advento do Consolador e – 22
alocução de – 10
angelical amargura de – 5
atividades espirituais de * na
 Terra de Santa Cruz – 4
bandeira de luz e de esperança e – 7
capitulação das tropas
 portuguesas e – 19
caridade, âncora da obra de – 28
diretriz para organização
 econômica e – 6
encontro de Jesus com – 5
Grupo Confúcio e objetivos
 da missão de – 23
Grupo Ismael, célula de
 evangelização, e – 26
humildes missionários da
 cruz e voz de – 4
instalação definitiva da obra de *
 na Pátria do Cruzeiro – 23
levantamento da bandeira de – 9
movimentos republicanos e
 abolicionistas e – 26
núcleos orientadores de
 Piratininga e – 6
objetivo das bases da obra de – 29
obra de unificação e – 29
oficina da fraternidade e – 12
Pedro I, D., e assistência dos
 companheiros de – 19
perigos da Inquisição e – 7
ponderações de * sobre a proclamação
 da Independência – 18
primeiro feito de – 3
revivescência do Cristianismo e – 3
Terra do Cruzeiro e – 3

Jacome, Diogo
Espírito santificado e – 4, nota

Jardim Botânico
João VI, D., rei, e – 16

Jefferson, Thomas
biografia de – 14, nota
José Joaquim da Maia e
 pensamento de – 14, nota

Jesuítas
convivência do marquês de
 Pombal com os – 13
importância do trabalho
 dos * no Brasil – 13

Índice geral

marquês de Pombal e
　expulsão dos – 13
Jesus
　encontro de Ismael com – 5
　implantação do Evangelho
　　de caridade, de imposição
　　dos preceitos de – 29
　luz do mundo e – 4
　Evangelho de caridade,
　　perdão e amor e – 7
　missão de Longinus na Pátria
　　do Evangelho e – 20
　outorga da carta de alforria e – 26
　veredas escuras da Terra e – 1
　visita de * à Terra – 1
João I, D.
　biografia de – 1, nota
　pai de Henrique de Sagres – 1
João II, D., rei
　desencarne de – 2
　influência de Henrique D.,
　　Espírito, no protesto de – 2
　reinado de – 2, nota
João III, D., rei
　colonização da Terra de Santa
　　Cruz e – 4, nota
　Inquisição e – 4, nota
João IV, D., rei
　Antônio Vieira e – 9
　trono de Portugal e – 9, nota
João V, D., rei, o Magnânimo
　Convento de Mafra e – 11
　reinado e – 11, 13
João VI, D., rei
　Academia de Marinha e – 16
　Aguiar, conde de, ministro, e – 16
　Anadia, visconde de, e – 16, nota
　Angeja, marquês de, e – 16, nota
　Banco do Brasil e – 16
　Belas, marquês de, e – 16, nota
　Biblioteca Real e – 16
　Cadaval, duque de, e – 16, nota
　chegada de * ao Brasil – 15, 16
　Conselho Militar e – 16
　coroação de – 17
　Escola de Belas-Artes e – 16
　Escola de Medicina e – 16
　esposo de Carlota Joaquina – 16, nota
　Imprensa Régia e – 16
　independência do Brasil e – 14
　Jardim Botânico e – 16
　juiz aposentador e – 16
　Junta Revolucionária de Lisboa e – 17
　lei das aposentadorias e – 16
　Linhares, conde de, e – 21
　Maria I, D., rainha, mãe de – 15
　Paço de São Cristovão e – 17
　pai de Pedro I, D. – 17
　Real Teatro São João e – 16
　regresso de * a Lisboa – 17
　sociedade de parasitas e
　　de inúteis e – 16
Joaquina, Carlota, rainha
　biografia de – 16, nota
　João VI, D., rei, esposo de – 16, nota
　mãe de Pedro I, D. – 16, nota
Jorge III, rei
　proteção de * à Casa de
　　Bragança – 16, nota
José I, D., rei
　atentado contra a vida de – 13
　Sebastião José de Carvalho
　　e Melo, primeiro
　　ministro de – 13, nota
Júnior, Frederico
　biografia de – 28, nota
　palavra póstuma de Allan
　　Kardec – 28

Índice geral

Junot
  biografia de – 15, nota

Justiça divina
  instituto imortal da – 5
  sedentos da – 3

Kardec, Allan
  assembleias espirituais e tarefa de – 22
  Frederico Júnior e palavra
    póstuma de – 28
  Camille Flammarion e – 22
  Gabriel Delanne e – 22
  João Batista Roustaing e – 22
  Léon Denis e – 22
  publicações brasileiras e – 23

Lafões, duque de
  Portugal e – 14, nota

Largo do Róssio
  considerações sobre – 17, nota

Leão X, papa
  sonhos de arte e de grandeza e – 4

Ledo, Gonçalves
  paladino da imprensa e – 19

Lei de reencarnação
  árvore genealógica e – 20

Lei do Ventre Livre
  Isabel, princesa, e – 26

Leopoldina, arquiduquesa
  da Áustria
  casamento de Pedro I, D., com – 17

Lerma, Duque de
  biografia de – 9, nota

Liberdade
  fraternidade e – 29

Lima, Araújo, deputado brasileiro
  emigração de * para a Inglaterra – 18

substitui Diogo Antônio
  Feijó na regência – 24

Linhares, conde de
  comportamento da imprensa e – 21
  João VI, D., e – 21

Lisboa, José da Silva
  abertura dos portos e – 16
  visconde de Cairu e – 16, nota

Loiola, Inácio de
  Companhia de Jesus e – 13

Longinus
  missão de * na Pátria do
    Evangelho – 20
  Pedro II, D., reencarnação de – 20
  última romagem de *
    pelo planeta – 20

Luanda
  cadeira de pedra do bispo e – 12

Luís IX, rei
  guerras das Cruzadas e morte de – 1

Luís XVI, rei
  morte de – 15

Luta fratricida
  esperanças e – 1

Maçonaria
  princípios da liberdade e da
    fraternidade humanas e – 17

Magnetismo espiritual
  Bento Mure e – 23, nota
  Frederico Hahnemann e – 23
  Vicente Martins e – 23, nota

Maia, José Joaquim da
  pensamento de Thomas
    Jefferson e – 14, nota

Índice geral

Manuel I, D., rei
  Escola de Sagres e – 2
  feiras de pau-brasil e – 4
  notícia do descobrimento e – 4
  primeiras expedições oficiais e – 4
  tesouros inesgotáveis das Índias e – 4

Maranhão
  atividades dos franceses no – 7
  expedição de João de
    Barros e – 5, nota
  fundação da França Equinocial e – 7
  libertação dos escravos e
    proprietários do – 9

Maria I, D., rainha
  destituição do marquês
    de Pombal e – 13
  modificação de sentença e – 14
  morte de – 17

Maria, Teresa Cristina, D.
  casamento de Pedro II, D., com – 25

Martins, Vicente, médico
  biografia de – 22, nota
  magnetismo espiritual e – 23
  Medicina homeopática e – 23

Mártires, Bartolomeu dos
  Espírito santificado e – 4, nota

Mauá, barão de
  colaborador de Pedro II, D. – 25

Maurício, João, príncipe de Nassau
  amor e respeito à liberdade e – 8
  frutos da administração de – 8
  liberal-democracia e – 8
  Pernambuco e – 8
  plano invisível e lição de – 8

Medicina homeopática
  Bento Mure, médico, e – 23, nota
  Vicente Martins, médico, e – 23, nota

Médium curador
  início do apostolado do * no
    Rio de Janeiro – 23
  instrumentos da verdade e – 29

Melo, Martinho de
  biografia de – 14, nota

Melo, Sebastião José de Carvalho
  e, marquês de Pombal
  convivência de * com os jesuítas – 13
  desencarne de – 13
  expulsão dos jesuítas e – 13
  ingratidão de João Cosme
    da Cunha, D., e – 13
  Maria I, D., rainha, e
    destituição de – 13
  técnica política de Robert
    Walpole e – 13, nota

Menezes, Adolfo Bezerra de
  biografia de – 22, nota
  encarnação de – 22
  Ismael e a indicação da missão de – 22
  Max, pseudônimo de – 28
  paralisação dos escritos
    em *O Paiz* e – 28
  presidente da Federação
    Espírita Brasileira – 28
  reunião da família espiritista
    brasileira e – 28
  sementes do Cristianismo,
    O Paiz, e – 28

Menezes, Francisco Teles de
  assassinato de – 11

Menezes, Luís Olímpio Teles de, Dr.
  biografia de – 23, nota
  réplica de artigo no Diário
    da Bahia – 23

Methuen
  Inglaterra e – 12
  Portugal e tratado de – 9, nota

Índice geral

Minas Gerais
concha da balança política
e econômica e – 6
despotismo, tirania e – 14
esboços da conspiração e – 14
índice da etnologia brasileira e – 6
paulistas, emboabas e sertões de – 11
visconde de Barbacena,
governador de – 14

Ministro da Justiça do
Governo Provisório
Carta Aberta da Federação
Espírita Brasileira ao – 28

Monte Caseros
considerações sobre – 25, nota
Porto Alegre, conde de, e
combate de – 25

Morais, Francisco de Castro
governador do Rio de
Janeiro e – 11, nota

Morro do Castelo
ocupação do * pelas tropas
portuguesas – 19

Morte do mundo
expressões morais, sociais
e políticas e – 22

Movimento libertador de Ismael
Castro Alves e – 26, nota
José Carlos do Patrocínio e – 26, nota
Luís Gama e – 26, nota
Rio Branco, visconde do, e – 26, nota

Movimento restaurador
Gomes Freire de Andrade e – 11, nota

Mundo europeu
fanatismo religioso e – 4

Mure, Bento, médico
biografia de – 23, nota

magnetismo espiritual e – 23
Medicina homeopática e – 23

Narbonne
significado do termo – 6, nota

Nassau, Maurício de
biografia de – 21, nota

Nau
significado do termo – 21, nota

Nóbrega, Manoel da
chegada de * à Bahia – 4
Espírito santificado e – 4, nota

Noite das garrafadas
Pedro I, D., e – 21

Norte
considerações sobre a região – 8, nota

Nunes, Leonardo
Espírito santificado e – 4, nota

Obra cristã
compreensão do mundo e – 29

Opresso
significado do termo – 5, nota

Ouro Preto, visconde de
biografia de – 27, nota
Pedro II, D., e visita do – 27

Paço de Alcáçova
visita ao – 2, nota

Padres
desprezo pelos * piedosos – 8
indígenas e aceitação dos
ensinamentos dos – 8

Paes, Fernão Dias
bandeiras paulistas e – 10
diálogo entre Ismael e – 10
enforcamento do filho e – 10
lendas das esmeraldas e – 10

Índice geral

projetos na terra do Cruzeiro
    e – 10, nota
rigores da disciplina e – 10
Paicolás
    significado do termo – 6, nota
Paiz, O, jornal
    Adolfo Bezerra de Menezes e – 28
    paralisação dos escritos de
        Bezerra de Menezes e – *28*
    sementeira do Espiritismo
        no Brasil – 28
Paraguai
    guerra entre Brasil e – 25
    Solano Lopez e – 25
Partido Conservador
    fundação do – 24
Pátria do Cruzeiro
    função relevante da obra
        de Ismael na – 29
Pátria do Evangelho
    advento da – 3
    ascensão e elevação da – 30
    choques de raças e – 9
    corporificação de Estácio de Sá na – 6
    formação da – 5
    maioridade coletiva da – 27
    missão de Longinus na – 20
    posição dos negros na – 7
    primeiras experiências
        espiritistas e – 22
    substituição dos portugueses na
        obra de edificação da – 8
Patrocínio, José Carlos do
    movimento libertador
        de Ismael e – 26
Paul, Rojas, Dr.
    biografia de – 27, nota
    Múcio Teixeira, cônsul-geral
        do Brasil, e – 27

Pedro I, D.
    abdicação de – 21, 24
    assistência dos companheiros
        de Ismael e – 19
    auxílio das falanges de Ismael e – 21
    casamento de * com Leopoldina
        da Áustria – 17
    grito de Independência
        ou Morte e – 19
    noite da garrafadas e – 21
    ordem de regresso de *
        a Portugal – 19
    proclamação da Independência
        do Brasil e – 19
    situação do Brasil após a
        abdicação de – 24
    Tiradentes, emissário invisível
        ao lado de – 19
    viagens de unificação e – 19
Pedro II, D.
    afastamento de * do trono – 26
    carta de alforria e – 27
    casamento de * com Teresa
        Cristina Maria, D. – 24
    Castro Alves e – 24
    coroação de – 24
    declaração da maioridade de – 24
    figura de chefe da família
        brasileira e – 27
    Longinus e – 20
    Mauá, barão de, e – 24
    oferta do Tesouro Nacional e – 27
    Pedro Américo e – 24
    plena supressão do tráfico
        negro e – 24
    Rio Branco, barão do, e – 24
    superioridade espiritual de – 27
Pensamento
    Helil e instalação do * cristão – 1
Pereira, José Clemente
    biografia de – 19, nota
    paladino da imprensa e – 19

Índice geral

Pernambuco
  Confederação do Equador e – 21
  extensão das terra de – 8
  Guerra dos Mascates e – 11, nota
  João Maurício, príncipe de
    Nassau, e – 8, nota; 21, nota

Pio VII, papa
  reaparecimento da Companhia
    de Jesus e – 13

Piratininga
  Ismael, congregação de
    Espíritos e – 10
  Ismael e núcleos orientadores de – 6
  Martim Afonso de Sousa e
    fundação de – 4, nota

Piroga
  significado do termo – 3, nota

Poluto
  significado do termo – 7, nota

Pólux
  significado do termo – 6, nota

Porto Alegre, conde de
  combate de Monte Caseros
    e – 25, nota

Portugal
  Afonso V, D., rei de – 2
  aliança de * à Inglaterra – 15
  conservação da unidade
    territorial e – 2
  decadência e ruína de – 14
  domínio da Espanha sobre – 5
  dor, miséria, lições sagradas e – 5
  Duarte, D., rei de – 2, nota
  Filipe I, D., rei de – 5, nota
  Henrique, D., rei de – 5, nota
  Inquisição e – 9
  intensificação do sentimento
    cristão em – 9
  João I, D., rei de – 1, nota

  João II, D., rei de – 2, nota
  João III, D., rei de – 4, nota
  João IV, D., rei de – 9, nota
  João V, D., rei, o Magnânimo,
    e – 11, nota; 13
  João VI, D., rei de – 14
  José I, D., rei de – 13
  Lafões, duque de, e – 14, nota
  luxo das conquistas e – 5
  Manuel I, D., rei de – 2, nota
  Martinho de Melo e – 14, nota
  Napoleão Bonaparte e
    invasão de – 15
  povos sofredores das regiões
    africanas e – 5
  provações coletivas e – 9
  restauração de – 9
  revolução constitucionalista e – 17
  riquezas das Índias e – 2
  Sebastião, D., rei de – 5
  situação de * no século XVII – 9
  tesouros das Índias e – 5
  trabalhos da colônia e – 6

Praia do Flamengo
  Mem de Sá ataca fortificações na – 6
  Uruçumirim e – 6

Proclamação da República
  amparo direto das falanges
    do infinito e – 27
  maioridade coletiva da Nação
    do Evangelho e – 27, 30

Província Cisplatina
  República Oriental do
    Uruguai e – 21

Quinta do Ramalhão
  exílio de Carlota Joaquina,
    D., rainha, e – 18

Raça(s)
  atritos das – 6
  infortúnio das * flageladas

Índice geral

e sofredoras – 7
negros do Brasil se incorporam
à * nova – 7
torturas à * negra – 8

Ramalho
biografia de – 6, nota

Ratcliff, João
biografia de – 21, nota

Real Teatro São João
João VI, D., rei, e – 16

Redenção humana
localização do símbolo da – 1

Reformador, revista
Augusto Elias da Silva e
lançamento da – 23, nota

Regicida
significado do termo – 13, nota

Reino do Brasil e dos
Negócios Estrangeiros
José Bonifácio, ministro, e – 19, nota

Reis, Silvério dos
biografia de – 14, nota

República Oriental do Uruguai
província Cisplatina e – 21

Restelo
localização do – 9, nota

Revolução constitucionalista
Portugal e – 17

Revolução de 1817
pernambucanos e – 17

Revolução Francesa
queda da Bastilha e – 15

Ribeiro, Afonso
esperança nova e – 3
injustiça dos homens e – 3

primeiro feito de Ismael
e degredo de – 3

Rio Branco, visconde do
colaborador de Pedro II, D. – 25
movimento libertador
de Ismael e – 26

Rio de Janeiro
cérebro do país e – 19
Convento de Santo Antônio e – 12
Francisco de Castro Morais,
governador do – 11, nota
higiene, limpeza e – 12
investida de Duclerc no
porto do – 11
Mem de Sá e expulsão dos
franceses do – 6
mercados de escravos e – 12
origem do nome – 4
proclamação da República e – 27
rio Carioca e – 12
sede da monarquia portuguesa – 17

Robespierre, Maximiliano
biografia de – 15, nota

Rocha, Francisco Alves
da, desembargador
leitura da peça condenatória e – 14

Roma
momentos amargos e – 4

Rosado, Antônio Joaquim, coronel
repatriação de Pedro I, D., e – 18

Rousseau
biografia de – 14, nota

Roustaing, João Batista
auxiliar na obra de Allan Kardec – 22

Sá, Estácio de
comandante de guarnição e – 6
corporificação de * na Pátria
do Evangelho – 6

Índice geral

morte de – 6
Oswaldo Cruz e – 6, nota
reunião de * às falanges invisíveis – 6
sobrinho de Mem de Sá – 6

Sá, Mem de
expulsão dos franceses do
Rio de Janeiro e – 6
governo-geral de Santa
Cruz e – 6, nota

Saladino
poderes temporais e – 1

Sambenito
significado do termo – 4, nota

Sampaio, Francisco Leite
de Bittencourt
biografia de – 23, nota
presidente da Sociedade de
Estudos Espíritas Deus,
Cristo e Caridade – 23

Sampaio, frei
paladino da imprensa e – 19

Santa Cruz
Gonçalo Coelho e feitoria de – 4
Mem de Sá e governo-
geral de – 6, nota

Santo Antônio do Rio de
Janeiro, convento
José de Anchieta e – 4

São Paulo, cidade
concha da balança política
e econômica e – 6
índice da etnologia brasileira e – 6

São Sebastião, cidade
morro de São Januário e – 6
morro do Castelo e – 6

Sayão, Antônio Luiz
biografia de – 23, nota
Sociedade de Estudos Espíritas
Deus, Cristo e
Caridade e – 23

Sebastião, D., rei
derrota de * em Alcácer-
Quibir – 5, nota

Selvagem
entradas e escravização
do * indefeso – 8

Sermão da Montanha
Brasil e ecos do – 3

Serração da Velha
significado da expressão – 12, nota

Silva, Augusto Elias da
fundação da Federação Espírita
Brasileira e – 28
lançamento da revista
Reformador e – 23

Silva, Lima e, Duque de Caxias
biografia de – 21, nota
Confederação do Equador e – 21

Soares, Henrique, frei
palavra religiosa de – 2, nota

Sociedade de Estudos Espíritas
Deus, Cristo e Caridade
Francisco Leite de
Bittencourt Sampaio,
presidente da – 23, nota
fundação da – 23

Solidariedade
aproximação do Oriente e
do Ocidente e – 1

Sousa, Francisco, D.
Governador e Intendente
das Minas e – 11

Índice geral

Sousa, Francisco Maximiano
de, vice-almirante
repatriação de Pedro I, D., e frota de – 18

Sousa, Martim Afonso
de, companhia de
fundação de Piratininga e – 4, nota
fundação de São Vicente e – 4, nota

Sousa, Tomé de
chegada de * à Bahia – 4
primeiro governador-geral e – 4
substituído por Duarte da Costa – 6

Tamoios
Cunhambebe e – 6, nota
maior confederação indígena do Brasil – 6
portugueses e represália dos – 8

Távora, marquês de
implicado no movimento regicida – 13

Teixeira, Múcio, cônsul--geral do Brasil
biografia de – 27, nota

Te-déum
Catedral de São Luís e – 11
Pedro I, D., e – 21
significado da expressão – 11, 21 notas

Teixeira, Múcio, cônsul-geral do Brasil
biografia de – 27, nota
Paul, Rojas, Dr., e – 27, nota

Tejo
significado do termo – 2, nota; 15, nota

Têmis
significado do termo – 15, nota

Terra
Jesus e veredas escuras da – 1
visita periódica de Jesus à – 1

Terra de Santa Cruz
alteração do nome e – 7
atividades espirituais de Ismael na – 4
João III, D., rei, e colonização da – 4, nota
nome oficial e – 4
poemas da raça negra e – 1
purificação do ambiente moral da – 5

Terra de Vera Cruz
Diogo Dias e – 2, nota
expedições e portos da – 4

Terra do Cruzeiro
Antônio Rodrigues Arzão e projetos na – 10, nota
Bartolomeu Bueno e projetos na – 10, nota
entidades construtoras das bases da – 7
Fernão Dias Paes e projetos na – 10
Ismael e organização econômica da – 6
Marcos de Azeredo e projetos na – 10, nota
Paraíba do Sul, rio, e – 6
São Francisco, rio, e – 6

Terra do Evangelho
papel dos negros na formação da – 7

Tomásia, Leonor, D.,
marquesa de Távora
decapitação de – 13, nota

Trabalho
ensinamento dos negros, lição de * e de obediência – 7

Índice geral

Tronos
significado do termo – 1, nota

Trovão, Lopes
biografia de – 27, nota
proclamação da República e – 27

Tupinambás
reação dos – 5

Tupiniquins
reação dos – 5

Úmbria
localização da – 29, nota

Urquiza
biografia de – 25, nota

Uruguai
invasão efetuado pelo Brasil no – 25

Valongo
mercados de escravos e – 12
significado do termo – 12, nota

Vasconcelos, Luís de, vice-rei
biografia de – 14, nota

Veiga, Evaristo da
biografia de – 24, nota
imprensa brasileira e – 24

Vespúcio, Américo
aventuras de – 4
cartas de – 4, nota

expedição de Gonçalo
Coelho e – 4, nota
quadro da Baía de Guanabara e – 4

Vicente, São
Martim Afonso de Sousa e
fundação de – 4, nota

Vieira, Antônio
João IV, D., rei de Portugal, e – 9

Vila Rica
Cláudio Manoel da Costa
e – 14, nota
edificação de – 14
Inácio de Alvarenga e – 14, nota
Joaquim José da Silva
Xavier e – 14, nota
Tomás Gonzaga e – 14, nota

Villegaignon, Nicolau de
confiança dos naturais e – 6
Ilha de Serigipe e – 6, nota
Paicolás e – 6, nota
regresso à França e – 6

Walpole, Robert
técnica política e – 13, nota

Xavier, Joaquim José da Silva
esboços da conspiração e – 14, nota
resgate do passado e – 14

206

CARIDADE: AMOR EM AÇÃO

SEDE BONS E CARIDOSOS: essa a chave que tendes em vossas mãos. Toda a eterna felicidade se contém nesse preceito: "Amai-vos uns aos outros". KARDEC, Allan. *O evangelho segundo o espiritismo*, cap. 13, it. 12.

A Federação Espírita Brasileira (FEB), em 20 de abril de 1890, iniciou sua *Assistência aos Necessitados* após sugestão de Polidoro Olavo de S. Thiago ao então presidente Francisco Dias da Cruz. Durante oitenta e sete anos, esse atendimento representava o trabalho de auxílio espiritual e material às pessoas que o buscavam na Instituição. Em 1977, esse serviço passou a chamar-se Departamento de Assistência Social (DAS), cujas atividades assistenciais nunca se interromperam.

Desde então, a FEB, por seu DAS, desenvolve ações socioassistenciais de proteção básica às famílias em situação de vulnerabilidade e risco socioeconômico. Fortalece os vínculos familiares por meio de auxílio material e orientação moral-doutrinária com vistas à promoção social e crescimento espiritual de crianças, jovens, adultos e idosos.

Seu trabalho alcança centenas de famílias. Doa enxovais para recém-nascidos, oferece refeições, cestas de alimentos, cursos para jovens, serviços de convivência e fortalecimento de vínculos para idosos e organiza doações de itens que são recebidos na Instituição e repassados a quem necessitar.

Essas atividades são organizadas pelas equipes do DAS e apoiadas com recursos financeiros da Instituição, dos frequentadores da Casa e por meio de doações recebidas, num grande exemplo de união e solidariedade.

Seja sócio-contribuinte da FEB, adquira suas obras e estará colaborando com o seu Departamento de Assistência Social.

FEB editora
Livro espírita para um novo mundo
www.febeditora.com.br
@febeditoraoficial
@febeditora

Conselho Editorial:
Carlos Roberto Campetti
Cirne Ferreira de Araújo
Evandro Noleto Bezerra
Geraldo Campetti Sobrinho – Coord. Editorial
Jorge Godinho Barreto Nery – Presidente
Maria de Lourdes Pereira de Oliveira
Miriam Lúcia Herrera Masotti Dusi

Produção Editorial:
Elizabete de Jesus Moreira

Revisão:
Davi Miranda
Paula Lopes

Capa e Projeto Gráfico:
Ingrid Saori Furuta

Diagramação:
Luisa Jannuzzi Fonseca

Foto de Capa:
www.istockphoto.com / Luso

Normalização Técnica:
Biblioteca de Obras Raras e Documentos Patrimoniais do Livro

Esta edição foi impressa pela Gráfica e Editora Qualytá Ltda., Brasília, DF, com tiragem de 6 mil exemplares, todos em formato fechado de 140x210 mm e com mancha de 104x168 mm. Os papéis utilizados foram o Off white bulk 58 g/m² para o miolo e o Cartão 250 g/m² para a capa. O texto principal foi composto em fonte Adobe Garamond Pro 12/14,4 e os títulos em Adobe Garamond Pro 28/26. Impresso no Brasil. *Presita en Brazilo.*